Ο ΑΝΕΨΙΟΣ ΤΟΥ ΜΑΓΟΥ

ΤΟ ΧΡΟΝΙΚΟ ΤΗΣ ΝΑΡΝΙΑ

ΤΟ ΧΡΟΝΙΚΟ ΤΗΣ ΝΑΡΝΙΑ
Κ. Σ. ΛΙΟΥΙΣ

———

Ο ΑΝΕΨΙΟΣ ΤΟΥ ΜΑΓΟΥ

ΜΕΤΑΦΡΑΣΗ
ΤΖΕΝΗ ΜΑΣΤΟΡΑΚΗ

ΕΙΚΟΝΟΓΡΑΦΗΣΗ
PAULINE BAYNES

ΚΕΔΡΟΣ

ISBN   978-960-04-0359-6

Τίτλος πρωτοτύπου:
C.S. Lewis: «The magician's nephew»

Για το κείμενο © 1955 C.S. Lewis Pte. Ltd.
Για την εικονογράφηση © 1955 C.S. Lewis Pte. Ltd.
© *Για την έκδοση στα ελληνικά, Εκδόσεις Κέδρος, Α.Ε., 1982*
www.kedros.gr
e-mail: books@kedros.gr

ΠΕΡΙΕΧΟΜΕΝΑ

Στην οικογένεια Κίλμερ

ΚΕΦΑΛΑΙΟ ΠΡΩΤΟ

Λάθος πόρτα

Αυτή η ιστορία μιλάει για κάτι που έγινε πολύ παλιά, τότε που οι παππούδες σας ήτανε μια σταλιά παιδάκια. Κι είναι σπουδαία ιστορία, γιατί μας λέει πώς πρωτοξεκίνησαν όλα τα πήγαιν' έλα ανάμεσα στον κόσμο μας και στη χώρα της Νάρνια.

Εκείνο τον καιρό, ζούσε ακόμα ο κύριος Σέρλοκ Χολμς στην οδό Μπέηκερ, και στην οδό Λιούισαμ οι Μπάσταμπολς έψαχναν για το θησαυρό. Εκείνο τον καιρό, τ' αγόρια έπρεπε να φορούν κάθε μέρα σκληρό άσπρο κολάρο, κολεγιακό, και τα σχολεία ήταν κατά κανόνα πιο φριχτά απ' τα σημερινά. Πάντως, τα φαγητά ήταν πιο νόστιμα. Όσο για τα γλυκά... Καλύτερα να μη σας πω τι ωραία και τι φτηνά που ήταν, γιατί θα σας τρέξουνε τα σάλια! Εκείνο τον καιρό, λοιπόν, ζούσε στο Λονδίνο ένα κοριτσάκι που το έλεγαν Πόλυ Πλάμερ.

Η Πόλυ έμενε σ' ένα δρόμο, που 'χε όλα τα σπίτια κολλητά, στη σειρά. Μια μέρα, εκεί που έπαιζε πίσω στην αυλή της, ένα αγόρι σκαρφάλωσε από το διπλανό περιβόλι κι έβγαλε το κεφάλι του πάνω απ' τη μάντρα. Η Πόλυ ξαφνιάστηκε, γιατί το διπλανό τους σπίτι δεν είχε παιδιά – μόνο τον κύριο Κέτερλυ και τη δεσποινίδα Κέτερλυ, δυο αδέρφια, γεροντοπαλίκαρο και γεροντοκόρη. Σήκωσε, που λέτε, τα μάτια και περιεργάστηκε καλά καλά το ξένο παιδί. Το πρόσωπό του ήτανε μες στη βρόμα. Σαν να 'χε πιάσει χώματα, κι έπειτα έκλαψε του καλού καιρού, κι έπειτα σκουπίστηκε με τα χέρια. (Η αλήθεια είναι πως κάτι τέτοιο είχε συμβεί).

«Γεια σου» είπε η Πόλυ.

«Γεια σου» είπε και το αγόρι. «Πώς σε λένε;»

«Πόλυ. Εσένα;»

«Ντίγκορυ».

«Για φαντάσου! Πολύ αστείο όνομα».

«Το δικό σου είναι πιο αστείο» είπε ο Ντίγκορυ.

«Καλέ, τι μας λες!»

«Είναι και παραείναι!»

«Εγώ πάντως τα μούτρα μου τα πλένω» είπε η Πόλυ. «Κι αν θες να ξέρεις, τα δικά σου θέλουν πλύσιμο ύστερα από τέτοιο –» και σταμάτησε απότομα. Ήθελε να πει: «Ύστερα από τέτοιο κλάμα», αλλά μετά σκέφτηκε πως δε θα 'ταν καθόλου ευγενικό.

«Ωραία, λοιπόν! Έκλαιγα! Ε, και;» είπε ο Ντίγκορυ, κι η φωνή του δυνάμωσε – να, όπως μιλάνε τα παιδιά όταν είναι τόσο στενοχωρημένα, που δεν τα νοιάζει μήπως προδοθούν πως έχουν κλάψει. «Να δούμε τι θα 'κανες εσύ, αν είχες περάσει όλη σου τη ζωή στην εξοχή, με δικό σου αλογάκι κι ένα ποτάμι στην άκρη του περιβολιού, κι έπειτα σε κουβαλούσαν

με το ζόρι να μείνεις εδώ πέρα, σ' αυτή την απαίσια τρύπα!»

«Για στάσου! Όχι και τρύπα το Λονδίνο!» είπε η Πόλυ τσαντισμένη. Μα το αγόρι είχε πάρει τέτοια φόρα, που δεν της έδωσε σημασία:

«– κι αν ο μπαμπάς σου ήταν στις Ινδίες – κι έπρεπε να μένεις με τη θεια σου και τον μπάρμπα σου που είναι τρελός για δέσιμο – όχι, θα σ' άρεσε; Κι αν δε γινότανε αλλιώς, αφού φροντίζουνε τη μαμά σου – κι αν η μαμά σου ήταν άρρωστη κι ετοιμο – ετοιμο –

11

θάνατη...». Και πάνω σ' αυτό, ο Ντίγκορυ στραβομουτσούνιασε πολύ περίεργα, γιατί έτσι παθαίνει όποιος παλεύει να κρατήσει τα δάκρυά του.

«Δεν το 'ξερα. Να με συγχωρείς» είπε μαζεμένα η Πόλυ. Κι ύστερα, μια και δεν έβρισκε να πει τίποτα, κι ήθελε να γυρίσει την κουβέντα σε κάτι πιο ευχάριστο, τον ρώτησε:

«Στ' αλήθεια είναι τρελός για δέσιμο ο κύριος Κέτερλυ;»

«Και τρελός να μην είναι, πάντως κάποιο μυστήριο υπάρχει» είπε ο Ντίγκορυ. «Κοίτα να δεις: έχει το γραφείο του στο πάνω πάτωμα, κι η Θεία Λέτυ δε με αφήνει ν' ανεβώ. Ε, λοιπόν, κάποια βρομοδουλειά υπάρχει στη μέση! Άσε το άλλο: αν κάνει πως μου λέει κουβέντα την ώρα που τρώμε (αυτός που δε μιλάει ούτε της αδερφής του!) εκείνη όλο τον αποπαίρνει: "Ανδρέα! Μην το σκοτίζεις το παιδί!" ή "Σίγουρα ο Ντίγκορυ δεν έχει την όρεξή σου" ή πάλι "'Αντε μπράβο, Ντίγκορυ. Τρέχα να παίξεις στον κήπο!"»

«Και σαν τι θέλει να σου πει ο θείος σου;»

«Μακάρι να 'ξερα. Σάμπως τον αφήνει να σταυρώσει λέξη; Αμ' το άλλο; Ένα βράδυ (χτες το βράδυ, για την ακρίβεια), περνούσα κάτω από τη σκάλα της σοφίτας για να πάω να πλαγιάσω (αλλιώτικα δε μου κάνει καρδιά ούτε το πρώτο σκαλοπάτι να ζυγώσω). Και τότε, ακούω μια δυνατή στριγκλιά!»

«Λες να 'χει παντρευτεί καμιά τρελή και την κρατάει κλειδωμένη εκεί πάνω;»

«Κι αυτό το σκέφτηκα».

«Μπορεί να 'ναι και παραχαράκτης».

«Ή πειρατής, όπως στο *Νησί των Θησαυρών*, στην αρχή αρχή του βιβλίου, με κείνον που κρύβεται να μην τον βρουν οι παλιοί του συντρόφοι».

12

«Καταπληκτικό!» είπε η Πόλυ. «Δεν το 'ξερα πως το σπίτι σου είναι τόσο ενδιαφέρον».

«Ενδιαφέρον το λες εσύ;» είπε ο Ντίγκορυ. «Δε θα σ' άρεσε καθόλου αν έπρεπε να κοιμάσαι εκεί μέσα. Να κάθεσαι στο κρεβάτι ξάγρυπνη, και ν' αφουγκρά-

ζεσαι μήπως ακούσεις το Θείο Ανδρέα να περπατάει σιγανά στο διάδρομο και να 'ρχεται στο δωμάτιό σου. Και σου έχει κάτι μάτια! Φοβερά!»

Έτσι πιάσαν φιλίες η Πόλυ και ο Ντίγκορυ, πάνω που άρχιζαν οι καλοκαιρινές διακοπές· και κάθε μέρα αντάμωναν πρωί πρωί, γιατί εκείνη τη χρονιά ούτε η μία ούτε ο άλλος θα πήγαιναν στη θάλασσα.

Αν μπλέχτηκαν σε περιπέτειες, έφταιγε πρώτα πρώτα το καλοκαίρι: τέτοια υγρασία και τέτοιο κρύο καλοκαιριάτικα, χρόνια είχε να κάνει. Τις περισσότε- ρες φορές, λοιπόν, έπαιζαν μέσα – ή μάλλον, πιο σω-

13

στά, εξερευνούσαν. Α, δεν έχετε ιδέα τι εξερευνήσεις μπορούν να γίνουν με το κερί – ας είναι και αποκέρι – σ' ένα μεγάλο σπίτι, ή και μια ολόκληρη σειρά σπίτια. Καιρό τώρα, η Πόλυ είχε ανακαλύψει ένα πορτάκι στη σοφίτα του σπιτιού της. Άμα το άνοιγες, έβρισκες το ντεπόζιτο του νερού, κι από πίσω είχε ένα πέρασμα σκοτεινό. Σκαρφάλωνες – πολύ προσεχτικά όμως – κι έβγαινες σε μια μακριά σήραγγα, που είχε από το 'να μέρος τα τούβλα του τοίχου, κι από το άλλο τη γερτή σκεπή. Από τις χαραμάδες που άφηναν τα κεραμίδια περνούσε τόπους τόπους λίγο φως. Αυτή η σήραγγα δεν είχε πάτωμα: έπρεπε να πατάς από δοκάρι σε δοκάρι, γιατί το ανάμεσο ήτανε σκέτος σοβάς. Έτσι και πατούσες το σοβά, το ταβάνι θα άνοιγε και θα γκρεμιζόσουνα στο από κάτω δωμάτιο. Σ' ένα κομμάτι της σήραγγας, πίσω ακριβώς απ' το ντεπόζιτο, η Πόλυ είχε φτιάξει τη Σπηλιά του Ληστή. Κουβάλησε δηλαδή κάτι σανίδια από παλιά κασόνια, πάτους από σπασμένες καρέκλες της κουζίνας και διάφορα τέτοια, τα 'στρωσε στα δοκάρια κι έφτιαξε λίγο πάτωμα. Εδώ φύλαγε το σεντούκι με τους θησαυρούς της, κι ένα μυθιστόρημα που έγραφε, και λίγα μήλα. Εδώ πάνω τρύπωνε για να πιει ήσυχα ήσυχα την γκαζόζα της. Τ' αδειανά μπουκάλια της γκαζόζας ξέμεναν, κι έκαναν το μέρος να μοιάζει ακόμα περισσότερο με Σπηλιά του Ληστή.

Του Ντίγκορυ πολύ του άρεσε η σπηλιά (η Πόλυ δεν τον άφησε να δει το μυθιστόρημα), αλλά πιο πολύ τον ενδιέφεραν οι εξερευνήσεις.

«Και δε μου λες» είπε, «ως πού φτάνει η σήραγγα; Μάλλον θα σταματάει εκεί που τελειώνει το σπίτι σου».

«Α, μπα!» είπε η Πόλυ. «Οι τοίχοι είναι πιο μέσα

14

από τη στέγη. Η σήραγγα προχωράει – ούτε κι εγώ ξέρω πού φτάνει».

«Τότε μπορούμε να περάσουμε όλα τα σπίτια στη σειρά, άκρη άκρη».

«Αμέ!» είπε η Πόλυ. «Και – ξέρεις κάτι;»

«Τι;»

«Άμα θέλουμε, μπαίνουμε και σ' άλλο σπίτι».

«Τώρα μάλιστα! Και να μας πάρουνε για λωποδύτες. Ευχαριστώ – να μένει το βύσσινο».

«Ουφ, εξυπνάδες! Εγώ έλεγα για το παραδιπλανό, αυτό που είναι πλάι στο δικό σου».

«Τι έχει;»

«Είναι αδειανό. Ο μπαμπάς λέει πως πάντα ήταν ακατοίκητο, από τότε που ήρθαμε σ' αυτή τη γειτονιά».

«Α, να του ρίξουμε καμιά ματιά» είπε ο Ντίγκορυ. Από τη φωνή του δεν μπορούσες να μαντέψεις πόσο αναστατωμένος ήταν – γιατί βέβαια είχε σκεφτεί, όπως θα το σκεφτήκατε κι εσείς, για ποιο λόγο μπορεί να 'μενε ακατοίκητο το σπίτι τόσον καιρό. Το ίδιο σκέφτηκε κι η Πόλυ. Κανείς τους δεν ξεστόμισε βέβαια τη λέξη «στοιχειωμένο», αλλά και οι δυο κατάλαβαν την ίδια στιγμή πως έπρεπε να πάνε, μια και το 'παν, για να μη φανούν φοβιτσιάρηδες.

«Τι λες, να μπούμε τώρα;» είπε ο Ντίγκορυ.

«Και δεν μπαίνουμε;» είπε η Πόλυ.

«Άμα δε θες, μην έρχεσαι» είπε ο Ντίγκορυ.

«Αν πας εσύ μια, εγώ πάω δέκα!»

«Και πώς θα το ξέρουμε πως μπήκαμε στο παραδιπλανό σπίτι;»

Κι έτσι, αποφάσισαν να ξαναγυρίσουν στη σοφίτα, και τη μέτρησαν με μεγάλα βήματα, σαν να πατούσαν από δοκάρι σε δοκάρι, για να πάρουν μια ιδέα πόσα

15

δοκάρια είχε κάθε δωμάτιο. Έπρεπε έπειτα να λογαριάσουν άλλα τέσσερα για το πέρασμα ανάμεσα στις δυο σοφίτες του σπιτιού της Πόλυ, κι έπειτα πάλι τα δοκάρια της σοφίτας για το δωμάτιο της υπηρέτριας, και θα 'βγαζαν όλο το μάκρος του σπιτιού. Αν τώρα έκαναν δυο φορές αυτή την απόσταση, θα περνούσαν και το σπίτι του Ντίγκορυ, κι η επόμενη πόρτα που θα 'βρισκαν μπροστά τους θα οδηγούσε στη σοφίτα του αδειανού σπιτιού.

«Εμένα πάντως δε μου φαίνεται εντελώς ακατοίκητο» είπε ο Ντίγκορυ.

«Δηλαδή;»

«Να, λέω πως κάποιος θα κρύβεται εκεί μέσα, και θα βγαίνει μόνο τη νύχτα, με το φανάρι του κουκουλωμένο. Μπορεί να πετύχουμε καμιά επικηρυγμένη συμμορία και να πάρουμε την αμοιβή. Παραμύθι είναι πως έμεινε τόσα χρόνια ακατοίκητο χωρίς να υπάρχει μυστήριο».

«Ο μπαμπάς λέει πως μάλλον φταίει η αποχέτευση» είπε η Πόλυ.

«Μμμμ. Όλο άνοστες εξηγήσεις δίνουν οι μεγάλοι» είπε ο Ντίγκορυ. Τώρα που τα κουβέντιαζαν στο φως της μέρας μέσα στη σοφίτα, κι όχι με το κερί, στη Σπηλιά του Ληστή, το 'βρισκαν όλο και πιο απίθανο να 'ναι στοιχειωμένο το διπλανό σπίτι.

Μέτρησαν λοιπόν τη σοφίτα, πήραν χαρτί και μολύβι κι έκατσαν να κάνουν το λογαριασμό. Στην αρχή, καθένας τους έβγαλε και διαφορετικό άθροισμα. Όμως, κι έπειτα που τα συμφώνησαν, δε θα 'παιρνα όρκο πως τα 'χαν προσθέσει σωστά. Βλέπετε, βιάζονταν ν' αρχίσουν τις εξερευνήσεις.

«Κιχ δεν πρέπει να κάνουμε!» είπε η Πόλυ την ώρα που σκαρφάλωναν ξανά πίσω απ' το ντεπόζιτο.

16

Επειδή ήταν τόσο εξαιρετική περίσταση, καθένας τους κρατούσε δικό του κερί (η Πόλυ είχε μπόλικα στη σπηλιά της).

Το πέρασμα ήταν θεοσκότεινο, πνιγμένο στη σκόνη, κι έμπαζε από παντού. Πατούσαν από δοκάρι σε δοκάρι δίχως άχνα – εκτός απ' τις φορές που χρειά-

17

στηκε να ψιθυρίσουν: «Τώρα περνάμε μπροστά από τη σοφίτα σου», ή: «Πρέπει να βρισκόμαστε στη μέση του *δικού μου* σπιτιού». Πάντως, κανένας τους δε σκόνταψε, ούτε τους σβήσαν τα κεριά, ούτε τίποτα, και με τα πολλά έφτασαν σε μια πορτούλα, στον τοίχο δεξιά τους. Από τη δική τους τη μεριά δεν είχε κλειδωνιά ούτε πόμολο, γιατί βέβαια η πόρτα ήταν για να μπαίνεις κι όχι για να βγαίνεις. Είχε όμως ένα μάνταλο (όπως τα ντουλάπια, από το μέσα μέρος) και τους φάνηκε πως θα κατάφερναν να το στρίψουν.

«Να δοκιμάσω;» είπε ο Ντίγκορυ.

«Άμα δοκιμάσεις εσύ μια, εγώ δοκιμάζω δέκα!» είπε η Πόλυ, όπως και πριν. Ένιωθαν τα πράγματα να σοβαρεύουν, αλλά δεν το.'βαζαν κάτω. Ο Ντίγκορυ παιδεύτηκε να στρίψει το μάνταλο, μα τα κατάφερε. Η πόρτα άνοιξε, άξαφνο φως τους θάμπωσε κι ανοιγόκλεισαν τα μάτια. Και τότε είδαν και σάστισαν: δε βρίσκονταν στην έρημη σοφίτα, αλλά σε μια επιπλωμένη κάμαρα. Ψυχή δε φαινόταν πουθενά, κι όλα ήταν ήσυχα. Η Πόλυ ένιωσε την περιέργειά της να φουντώνει. Έσβησε το κερί, και μπήκε στο παράξενο δωμάτιο, αθόρυβη σαν ποντίκι.

Σοφίτα ήταν κι εδώ, αλλά επιπλωμένη σαν καθιστικό. Όλοι οι τοίχοι ήταν ντυμένοι με ράφια, κι όλα τα ράφια γεμάτα βιβλία. Στο τζάκι έκαιγε φωτιά (είπαμε πως εκείνη τη χρονιά το καλοκαίρι ήταν κρύο και υγρό), και μπροστά στη φωτιά είχε μια βαθιά πολυθρόνα, με τη ράχη γυρισμένη προς το μέρος τους. Ανάμεσα στην πολυθρόνα και την Πόλυ, ένα μεγάλο τραπέζι έπιανε όλη τη μέση της κάμαρας, και πάνω του ήταν στοιβαγμένα του κόσμου τα πράγματα: βιβλία τυπωμένα, χοντρά τετράδια σαν κατάστιχα, μελανοδοχεία, πένες, βουλοκέρι, ως κι ένα μικροσκό-

18

πιο. Η Πόλυ όμως πρόσεξε ένα ξύλινο δισκάκι, κόκκινο χτυπητό, που είχε κάτι δαχτυλίδια βαλμένα ζευγαρωτά: ένα κίτρινο κι ένα πράσινο, και παραδίπλα άλλο ένα κίτρινο κι άλλο ένα πράσινο. Δε θα τα 'λεγες πιο μεγάλα απ' τα συνηθισμένα δαχτυλίδια, μα και πάλι ήταν αδύνατο να μην τα προσέξεις, γιατί έφεγγαν κι αστραποβολούσαν. Ήταν ό,τι πιο όμορφο κι αστραφτερό μπορεί να φανταστεί ανθρώπου νους, κι αν η Πόλυ ήταν λίγο μικρότερη, σίγουρα θα λαχταρούσε να τα βάλει στο στόμα της.

Στην κάμαρα είχε τόση ησυχία, που άκουγες αμέσως το χτύπο του ρολογιού. Κι ωστόσο – να, τώρα δα το καταλάβαινε, δεν ήταν απόλυτη ησυχία. Σαν κάτι να βούιζε αχνά, πολύ αχνά. Αν είχαν εφευρεθεί ηλεκτρικές σκούπες εκείνο τον καιρό, η Πόλυ θα 'λεγε πως μια ηλεκτρική σκούπα δούλευε κάπου μακριά – κάμποσες κάμαρες πιο πέρα, και κάμποσα πατώματα πιο κάτω. Ο ήχος ήταν όμως πιο ωραίος και μελωδικός – αλλά σβησμένος, μόλις που τον ξεχώριζες.

«Έλα, δεν είναι κανείς» είπε η Πόλυ στον Ντίγκορυ μισογυρίζοντας το κεφάλι. Τώρα πια δε μιλούσε και πολύ ψιθυριστά. Ο Ντίγκορυ μπήκε στη σοφίτα κι ανοιγόκλεισε τα μάτια. Ήταν μες στη βρόμα – και, για να λέμε την αλήθεια, κι η Πόλυ δεν πήγαινε πίσω.

«Τζίφος» είπε ο Ντίγκορυ. «Μόνο για ακατοίκητο δε φαίνεται αυτό το σπίτι. Καλύτερα να του δίνουμε πριν μπει κανείς».

«Κι αυτά εδώ; Τι λες να 'ναι;» έκανε η Πόλυ, και του 'δειξε τα χρωματιστά δαχτυλίδια.

«Ουφ, έλα τώρα» είπε ο Ντίγκορυ. «Όσο χασομεράμε –»

Μα δεν πρόλαβε να τελειώσει την κουβέντα του,

γιατί εκείνη τη στιγμή έγινε κάτι. Η πολυθρόνα με την ψηλή ράχη, εκείνη που βρισκόταν μπροστά στο τζάκι, σάλεψε ξαφνικά, κι από πίσω – σαν τα διαβολάκια που πετάγονται απ' την καταπακτή στο κουκλοθέατρο – σηκώθηκε φοβερός και τρομερός ο Θείος Ανδρέας. Λοιπόν, δεν είχαν μπει στο άδειο σπίτι. Είχαν τρυπώσει στο σπίτι του Ντίγκορυ, και μάλιστα στο απαγορευμένο γραφείο. Και τα δυο παιδιά, μ' ένα στόμα, έκαναν «Αααα!» και κατάλαβαν το φριχτό τους λάθος. Έπρεπε να το 'χουν μαντέψει πως δεν προχώρησαν πολύ μακριά.

Ο Θείος Ανδρέας ήταν απίστευτα ψηλός και τρομερά αδύνατος. Είχε ένα πρόσωπο μακρουλό και καλοξυρισμένο, σουβλερή μύτη, λαμπερά μάτια, και γκρίζα μαλλιά, πυκνά και ατίθασα.

Ο Ντίγκορυ είχε χάσει τη μιλιά του, γιατί ο Θείος Ανδρέας του φάνηκε χίλιες φορές πιο τρομερός από πρώτα. Αλλά και η Πόλυ, που δεν τρόμαξε και τόσο στην αρχή, δεν άργησε να τα χρειαστεί. Γιατί ο Θείος Ανδρέας δεν έχασε καιρό: μια και δυο, πήγε στην πόρτα της κάμαρας και γύρισε το κλειδί στην κλειδαριά. Έπειτα έκανε μεταβολή, κοίταξε τα παιδιά με μάτια που άστραφταν, και χαμογέλασε πλατιά δείχνοντας όλα του τα δόντια.

«Περίφημα!» είπε. «Και τώρα, αυτή η ανόητη η αδερφή μου δεν μπορεί να σας τσακώσει».

Ε, αυτό πια δε θα το περίμενες ποτέ από μεγάλο άνθρωπο. Η Πόλυ ένιωσε την καρδιά της να κάνει τούμπες και, μαζί με τον Ντίγκορυ, άρχισαν να οπισθοχωρούν προς την πορτούλα της σήραγγας. Μα ο Θείος Ανδρέας τους πρόλαβε. Βρέθηκε μεμιάς πίσω τους, την έκλεισε κι αυτή, και στάθηκε μπροστά της. Έπειτα έτριψε τα χέρια του κι έσκασε τα δάχτυλά

20

του. Κι είχε κάτι δάχτυλα! Μακριά, ωραία και κάτασπρα.

«Είμαι πολύ ευτυχής που σας βλέπω» είπε. «Δυο παιδιά! Ίσα ίσα αυτό που χρειαζόμουν».

«Σας παρακαλώ, κύριε Κέτερλυ» είπε η Πόλυ. «Κοντεύει η ώρα για φαγητό και πρέπει να γυρίσω σπίτι. Σας παρακαλώ, ανοίξτε μας».

«Όχι ακόμα» είπε ο Θείος Ανδρέας. «Είναι κρίμα να πάει χαμένη τόσο καλή ευκαιρία. Δυο παιδιά γύρευα κι εγώ. Βλέπεις, έχω αφήσει στη μέση ένα σπουδαίο πείραμα. Το δοκίμασα μ' ένα ινδικό χοιρίδιο, και μου φαίνεται πως πέτυχε. Μόνο που το ινδικό χοιρίδιο δεν μπορεί να πει και πολλά, ούτε υπάρχει τρόπος να του εξηγήσεις πώς να γυρίσει πίσω».

«Μα είναι ώρα για φαΐ, καλέ θείε» είπε ο Ντίγκορυ. «Όπου να 'ναι θ' αρχίσουν να μας γυρεύουν. Πρέπει να ανοίξεις».

«Πρέπει;» είπε ο Θείος Ανδρέας.

Ο Ντίγκορυ και η Πόλυ κοιτάχτηκαν. Δεν τόλμησαν να βγάλουν τσιμουδιά. Οι ματιές τους έλεγαν όμως «Φρίκη!» και «Κοίτα να τον καλοπιάσουμε».

«Αν μας αφήσετε να φύγουμε τώρα» είπε η Πόλυ, «μετά θα ξαναγυρίσουμε».

«Πριτς! Και πού το ξέρω εγώ πως θα ξαναγυρίσετε;» χαμογέλασε πονηρά ο Θείος Ανδρέας. Κι έπειτα φάνηκε ν' αλλάζει γνώμη.

«Καλά. Αφού λέτε πως πρέπει να φύγετε οπωσδήποτε, μπορεί και να 'χετε δίκιο. Εμ, βέβαια... Μικρά παιδιά εσείς, δεν περίμενα πως θα 'χετε όρεξη για κουβέντες μ' ένα γερόντιο σαν και μένα». Αναστέναξε. «Πάντως, δεν έχετε ιδέα πόση μοναξιά αισθάνομαι κάπου κάπου. Μα τι να γίνει; Να πάτε να φάτε. Όμως, πριν φύγετε, εσένα θέλω να σου κάνω ένα δωράκι. Τι να γίνει, δεν ανεβαίνουν κάθε μέρα κοριτσάκια στο έρμο το γραφείο μου. Και μάλιστα – αν μου το επιτρέπεις – μια τόσο χαριτωμένη μικρή κυρία όπως εσύ!»

Η Πόλυ άρχισε τώρα να πιστεύει ότι, στο κάτω κάτω, μπορεί και να μην ήταν στ' αλήθεια τρελός.

«Θες ένα δαχτυλίδι, χρυσό μου;» τη ρώτησε ο Θείος Ανδρέας.

«Τι δαχτυλίδι; Απ' αυτά τα κίτρινα και τα πράσινα; Αχ, τι καλά!»

«Α, όχι τα πράσινα» είπε ο Θείος Ανδρέας. «Λυπάμαι πολύ, αλλά δεν μπορώ να σου δώσω πράσινο δαχτυλίδι. Αν θες όμως ένα κίτρινο, πολύ ευχαρίστως. Με όλη μου την αγάπη. Έλα να το δοκιμάσεις».

Η Πόλυ είχε ξεθαρρέψει. Καλέ, αυτός εδώ μόνο τρελός δεν ήταν. Κι ύστερα, τα δαχτυλίδια άστραφταν τόσο παράξενα και μαγευτικά! Πλησίασε σιγά σιγά το δίσκο.

«Για κοίτα!» έκανε. «Όσο πλησιάζεις, το βουητό δυναμώνει. Λες και βγαίνει απ' τα δαχτυλίδια».

«Φαντασία που την έχεις, χρυσό μου!» είπε ο Θείος Ανδρέας και γέλασε. Το γέλιο του έμοιαζε απόλυτα φυσικό, αλλά ο Ντίγκορυ είδε στο πρόσωπο του θείου μια έκφραση ανυπόμονη – άπληστη, θα 'λεγες.

«Πόλυ!» φώναξε. «Μην κάνεις καμιά βλακεία! Μην τ' αγγίξεις!»

Ήταν πολύ αργά. Γιατί, πριν αποσώσει τα λόγια του, το χέρι της μικρής απλώθηκε κι άγγιξε ένα δαχτυλίδι. Και στη στιγμή, χωρίς αστραπές και βροντές, χωρίς καμιά προειδοποίηση, η Πόλυ έγινε άφαντη. Ο Ντίγκορυ κι ο θείος έμειναν μόνοι στο δωμάτιο.

22

Ο Ντίγκορυ και ο θείος

Ήταν όλα τόσο άξαφνα και τόσο τρομερά! Ούτε στο χειρότερό του εφιάλτη δε θα μπορούσε να τα φανταστεί ο Ντίγκορυ. Άθελά του, έβγαλε μια κραυγή – μα την ίδια στιγμή, το χέρι του Θείου Ανδρέα του 'κλεισε το στόμα. «Όχι κι έτσι!» σφύριξε πνιχτά, κοντά στο αυτί του Ντίγκορυ. «Μην κάνεις φασαρία, γιατί θα σ' ακούσει η μάνα σου. Θες να πάθει καμιά λαχτάρα;»

Όπως είπε αργότερα ο Ντίγκορυ, δεν ήταν τρόπος αυτός, και μάλιστα από συγγενικό του πρόσωπο. Τον σιχάθηκε το θείο – αλλά, όπως ήταν επόμενο, δεν ξαναφώναξε.

«Έτσι μπράβο!» είπε ο Θείος Ανδρέας. «Όχι πως θα μπορούσες να κάνεις κι αλλιώς, βέβαια. Το ξέρω, είναι μεγάλη ταραχή να βλέπεις κάποιον να εξαφανίζεται – τουλάχιστον την πρώτη φορά. Εμένα μου κό-

23

πηκε η χολή όταν εξαφανίστηκε το ινδικό χοιρίδιο χτες το βράδυ».

«῞Ωστε γι' αυτό φώναξες;» είπε ο Ντίγκορυ.

«Α, τ' άκουσες; Δε νομίζω να με κατασκόπευες!»

«Αυτό μας έλειπε!» θύμωσε ο Ντίγκορυ. «Μα τι έγινε η Πόλυ;»

«Καλό μου παιδί, μπορείς να με συγχαρείς» είπε ο Θείος Ανδρέας τρίβοντας τα χέρια του. «Το πείραμά μου πέτυχε. Το κοριτσάκι έφυγε – χάθηκε απ' αυτό τον κόσμο!»

«Τι της έκανες;»

«Ας πούμε πως την έστειλα κάπου – κάπου *Αλλού*».

«Πού *Αλλού*;»

Ο Θείος Ανδρέας κάθισε. «῎Ελα, θα σου τα πω όλα. Δε μου λες, έχεις ακουστά καμιά κυρία Λήφυ;»

«Προγιαγιά μου ήτανε; είπε ο Ντίγκορυ.

«῞Οχι ακριβώς» απάντησε ο Θείος Ανδρέας. «Νουνά μου. Να τηνε, εκεί στον τοίχο».

Ο Ντίγκορυ κοίταξε, κι είδε μια θολή φωτογραφία: το πρόσωπο μιας γριάς με σουρωτό καπέλο. Και τότε θυμήθηκε πως είχε ξετρυπώσει την ίδια φωτογραφία σ' ένα παλιό συρτάρι, στο σπίτι του στο χωριό. Είχε ρωτήσει τη μητέρα του ποια είναι, αλλά εκείνη δεν έδειξε ιδιαίτερη διάθεση να κουβεντιάσει ειδικά γι' αυτό το θέμα. Το πρόσωπο δεν ήταν διόλου καλοσυνάτο, έτσι του φάνηκε του Ντίγκορυ – αλλά, και πάλι, πού να βγάλεις άκρη με τις παλιές φωτογραφίες;

«Και – για να 'χουμε καλό ρώτημα – μήπως έκανε τίποτα κακό;» ρώτησε ο Ντίγκορυ.

«Μμμ, να σου πω...». Ο Θείος Ανδρέας γέλασε πνιχτά. «Εξαρτάται τι εννοείς όταν λες *κακό*. Αχ, τι στενόμυαλος που είναι ο κόσμος! Βέβαια, στα τελευ-

24

ταία της είχε παραξενέψει πολύ. Έκανε τρέλες. Γι' αυτό την έκλεισαν μέσα».

«Στο τρελοκομείο;»

«Άπαπα!» είπε ο Θείος Ανδρέας ενοχλημένος.

«Όχι δα! Στη φυλακή».

«Ε, αυτό πια είναι απ' τ' άγραφα! Και σαν τι έκανε;»

«Τη φουκαριάρα!» είπε ο θείος. «Έκανε κάτι παλαβομάρες, έγιναν πολλά και διάφορα. Τι να σου τα λέω τώρα; Πάντως, εμένα μου φέρθηκε άψογα – το παραδέχομαι».

«Για στάσου μια στιγμή. Τι δουλειά έχει η Πόλυ με όλα αυτά; Θέλω να την –»

«Ας πάρουμε τα πράγματα με τη σειρά, μικρέ μου» είπε ο Θείος Ανδρέας. «Η καημένη η κυρία Λήφυ απολύθηκε από τη φυλακή λίγο πριν πεθάνει. Ελάχιστες επισκέψεις δεχόταν όσο κράτησε η τελευταία της αρρώστια – κι εγώ ήμουν ένας από τους λίγους που την έβλεπαν. Καταλαβαίνεις, δεν ανεχόταν πια τους κοινούς θνητούς και τους αδαείς. Όπως δεν τους ανέχομαι κι εγώ τώρα. Με την κυρία Λήφυ είχαμε πολλά κοινά ενδιαφέροντα. Λίγες μέρες πριν πεθάνει, μου 'πε ν' ανοίξω ένα κρυφό συρτάρι στο παμπάλαιο γραφείο του σπιτιού της, και να της πάω το κουτάκι που θα 'βρισκα εκεί μέσα. Μόλις έπιασα το κουτί, ένιωσα κάτι να μου τσιμπάει τα δάχτυλα, και τότε κατάλαβα πως κρατώ στα χέρια μου ένα μεγάλο μυστικό. Μου το 'δωσε, και μ' έβαλε να της υποσχεθώ πως, μόλις πεθάνει, θα το κάψω χωρίς να το ανοίξω, αφού κάνω πρώτα κάποιες – μμμ... – κάποιες τελετές. Δεν κράτησα την υπόσχεσή μου».

«Ντροπή σου!» είπε ο Ντίγκορυ.

«Τι ντροπή;» απόρησε ο Θείος Ανδρέας. «Α, μάλι-

25

στα. Θες να πεις πως τα παιδιά πρέπει να κρατούν τις υποσχέσεις τους. Πολύ σωστά! Έτσι είναι, και χαίρομαι που το 'χεις μάθει. Μα θα πρέπει να καταλάβεις πως αυτοί οι κανόνες μπορεί να είναι θαυμάσιοι για τα μικρά παιδιά – ή για τους υπηρέτες και τις γυναίκες, ίσως και για όλο τον κόσμο. Δεν

ισχύουν όμως για τους σοβαρούς ερευνητές, για τους μεγάλους στοχαστές και τους σοφούς. Όχι, μικρέ μου. Όσοι κρύβουν μέσα τους σοφία – σαν και μένα – δεν πρέπει να δεσμεύονται από συνηθισμένους κανόνες, ούτε να συμμετέχουν σε συνηθισμένες απολαύσεις. Η μοίρα μας, αγόρι μου, είναι ένδοξη και μοναχική!»

Και τότε αναστέναξε βαθιά, και η όψη του σοβάρεψε κι έγινε τόσο ευγενική και μυστηριώδης, ώστε για μια στιγμή ο Ντίγκορυ πίστεψε πως ο θείος του μπορεί και να 'χε δίκιο. Έπειτα όμως θυμήθηκε την απαίσια έκφραση του θείου λίγο πριν εξαφανιστεί η Πόλυ, και διάβασε μεμιάς τι κρυβόταν πίσω απ' τις βαρύγδουπες κουβέντες. «Θέλει να πει» σκέφτηκε, «πως μπορεί να κάνει ό,τι του καπνίσει, φτάνει να πετύχει το σκοπό του».

26

«Φυσικά» συνέχισε ο Θείος Ανδρέας, «ο καιρός περνούσε, και δεν είχα τολμήσει να το ανοίξω. Καταλάβαινα πως περιέχει κάτι πολύ επικίνδυνο. Ξέρεις, η νουνά μου ήταν καταπληκτική γυναίκα. Για να σου πω την αλήθεια, ήταν μια από τις τελευταίες θνητές σ' αυτή τη χώρα, που είχε στις φλέβες της αίμα νεράιδας. (Έλεγε μάλιστα ότι, στον καιρό της, υπήρχαν άλλες δυο: μια δούκισσα και μια πλύστρα). Μάλιστα, παιδί μου. Αυτή τη στιγμή μιλάς, ίσως, με τον τελευταίο άνθρωπο που γνώρισε αληθινή νεραϊδονουνά. Βλέπεις; Θα 'χεις να το θυμάσαι όταν γεράσεις».

«Κόβω το κεφάλι μου πως ήτανε κακιά νεράιδα» σκέφτηκε ο Ντίγκορυ, και πρόσθεσε φωναχτά: «Και η Πόλυ;»

«Εκεί κόλλησες; Μα τι σημασία έχει; Λοιπόν που λες, πρώτη μου δουλειά ήταν να μελετήσω το κουτί. Φαινόταν πανάρχαιο και, μόλο που δεν ήξερα τότε όσα ξέρω σήμερα, κατάλαβα πως δεν ήταν ούτε ελληνικό, ούτε αιγυπτιακό, ούτε βαβυλωνιακό, ούτε χετταϊκό, ούτε κινέζικο. Ήταν ακόμα πιο παλιό απ' όλα αυτά τα έθνη. Α, μεγάλη η μέρα που επιτέλους ανακάλυψα την αλήθεια! Το κουτί προερχόταν από την Ατλαντίδα, τη χαμένη ήπειρο. Αυτό θα πει πως ήταν πολλούς αιώνες παλιότερο απ' όλα τα ευρήματα της λίθινης εποχής που έρχονται στο φως τώρα στην Ευρώπη – μα όχι τραχύ κι ακατέργαστο σαν κι εκείνα. Γιατί, από τη χαραυγή του χρόνου, η Ατλαντίδα ήταν μια πολιτεία ισχυρή, γεμάτη παλάτια και ναούς και σοφούς ανθρώπους».

Σταμάτησε λίγο, σαν να περίμενε να μιλήσει ο Ντίγκορυ. Όμως, με κάθε λεπτό που περνούσε, ο μικρός αντιπαθούσε το θείο του όλο και πιο πολύ, και δεν είπε λέξη.

«Στο αναμεταξύ» συνέχισε ο Θείος Ανδρέας, «απο-κτούσα κι άλλες μαγικές γνώσεις (με τρόπους που δεν κάνει να σου εξηγήσω γιατί είσαι παιδί). Σιγά σιγά λοιπόν, άρχισα να μαντεύω σαν τι θα είχε μέσα το κουτί. Έκανα και μερικά πειράματα, κι οι πιθανές απαντήσεις περιορίστηκαν ακόμα περισσότερο. Χρειάστηκε μάλιστα να γνωρίσω κάτι – κάτι ανθρώ-πους – σατανικούς και παράξενους, και να υποστώ κάποιες ιδιαίτερα δυσάρεστες εμπειρίες. Γι' αυτό ασπρίσαν τα μαλλιά μου. Βλέπεις, δε γίνεσαι μάγος με το παίξε γέλασε! Στο τέλος, κλονίστηκε και η υγεία μου – αλλά συνήρθα. Και, με τα πολλά, το ανα-κάλυψα».

Δεν υπήρχε βέβαια η παραμικρή πιθανότητα να κρυφακούει κανείς, αλλά ο θείος έσκυψε κοντά στον Ντίγκορυ κι είπε, σχεδόν ψιθυριστά:

«Το κουτί της Ατλαντίδας είχε κάτι που έφτασε στον κόσμο μας από έναν άλλο κόσμο. Και μάλιστα, σε μια εποχή που ο δικός μας κόσμος άρχιζε μόλις να γεννιέται».

«Τι;» ρώτησε ο Ντίγκορυ, κι ένιωσε τώρα, άθελά του, να τον τρώει η περιέργεια.

«Μια σκόνη» είπε ο Θείος Ανδρέας. «Σκέτη σκόνη – ψιλούτσικη και στεγνή. Δεν ήταν δα και τίποτα αξιοθέατο, ούτε τίποτα που να μπορείς να το επιδεί-ξεις έπειτα από κόπους μιας ζωής. Κι όμως, όταν την κοιτούσα αυτή τη σκόνη (είχα πάρει βέβαια τα μέτρα μου, και δεν την άγγιξα), όταν σκεφτόμουνα πως κά-θε κόκκος της έχει υπάρξει σ' έναν άλλο κόσμο... Όχι σε άλλο πλανήτη, γιατί οι πλανήτες είναι μέρος του δικού μας κόσμου, μπορείς να πας ως εκεί, φτά-νει να ταξιδέψεις τόσο μακριά – αλλά σ' έναν άλλο κόσμο, μια άλλη φύση, ένα άλλο σύμπαν, όπου δε

28

γίνεται να φτάσεις, ακόμα κι αν ταξιδεύεις αιώνια μέσα στο χώρο αυτού εδώ του σύμπαντος... Σ' έναν κόσμο όπου μπορείς να φτάσεις μόνο με τα μάγια... Ε, τότε...». Κι εδώ ο Θείος Ανδρέας άρχισε να τρίβει τα χέρια του με τέτοιά φούρια, που τα δάχτυλά του έσκασαν πιο δυνατά κι από στρακαστρούκες.

«Το ήξερα» συνέχισε. «Αν κατάφερνα να δώσω στη σκόνη την κατάλληλη μορφή, θα με πήγαινε πάλι στον τόπο της. Εκεί βρισκόταν όμως όλη η δυσκολία: τι μορφή να της δώσω; Τα πρώτα μου πειράματα πήγαν στράφι. Δοκίμασα με ινδικά χοιρίδια. Μερικά ψόφησαν. Άλλα έσκασαν σαν βόμβες –»

«Μα είναι απάνθρωπο!» είπε ο Ντίγκορυ, γιατί κάποτε είχε κι αυτός ένα ινδικό χοιρίδιο.

«Κοίτα πώς με βγάζει όλη την ώρα από το θέμα» αγανάκτησε ο Θείος Ανδρέας. «Αφού γι' αυτή τη δουλειά τα έχουνε τα ζωντανά! Γι' αυτό τ' αγόραζα! Λοιπόν – πού είχαμε μείνει; Α, μάλιστα. Με τα πολλά, που λες, έφτιαξα τα δαχτυλίδια: τα κίτρινα. Και τότε βγήκε στη μέση άλλη δυσκολία. Είχα πια βεβαιωθεί πως τα κίτρινα δαχτυλίδια μπορούσαν να στείλουν στον Άλλο Τόπο όποιον τ' άγγιζε. Μα τι το όφελος; Δεν μπορούσαν να τον ξαναφέρουν πίσω για να μου πει τι είδε».

«Και γι' αυτόν που θα 'στελνες, δε σου καιγότανε καρφί!» είπε ο Ντίγκορυ. «Θα τα καλοπερνούσε αν δεν κατάφερνε να γυρίσει πίσω».

«Εσύ το βιολί σου!» τον έκοψε ανυπόμονα ο Θείος Ανδρέας. «Μα επιτέλους, δεν καταλαβαίνεις; Πρόκειται για πολύ σπουδαίο πείραμα. Πρέπει να στείλω κάποιον στον Άλλο Τόπο, γιατί θέλω να μάθω *πώς είναι αυτός ο Τόπος*».

«Και γιατί δεν πας μόνος σου;»

Ο Ντίγκορυ δεν είχε δει ποτέ του άνθρωπο να ξαφνιάζεται και να θίγεται τόσο πολύ. «Εγώ;» φώναξε ο Θείος Ανδρέας. «Εγώ; Πάει το παιδί, τρελάθηκε! Ένας άνθρωπος της ηλικίας μου, με τόσο λεπτή υγεία, μπορεί να ρισκάρει τόσο απότομη αλλαγή; Να πετάξει από τη μια στιγμή στην άλλη σ' ένα διαφορετικό σύμπαν; Αυτό πια είναι άνω ποταμών! Δε μου λες, κατάλαβες τι είπες; Έχεις ιδέα τι θα πει ΑΛΛΟΣ ΚΟΣΜΟΣ; Ξέρεις τι μπορεί να σε περιμένει σε έναν ΑΛΛΟ ΚΟΣΜΟ;»

«Ωραία! Γι' αυτό έστειλες και συ την Πόλυ» θύμωσε ο Ντίγκορυ. Τώρα είχε γίνει κατακόκκινος. «Εγώ πάντως ένα έχω να σου πω» πρόσθεσε, «κι ας είσαι και θείος μου: Είσαι άνανδρος! Έστειλες μικρό παιδί σ' έναν τόπο όπου φοβάσαι να πας μόνος σου.

«Σιωπή!» φώναξε ο Θείος Ανδρέας, και χτύπησε δυνατά το χέρι του στο τραπέζι. «Να μου μιλάει έτσι ένα βρόμικο μαθητούδι – ποιανού; εμένα; Παραπάει. Δεν καταλαβαίνεις τίποτα. Εγώ είμαι σοφός, μάγος, μύστης. *Εγώ κάνω το πείραμα.* Και φυσικά, το πείραμα χρειάζεται πειραματόζωα. Μπα σε καλό σου! Μια δυο, θα μου πεις πως έπρεπε να ζητήσω άδεια κι από τα ινδικά χοιρίδια προτού τα χρησιμοποιήσω! Μικρέ μου, για ν' αποκτήσει κανείς τη μεγάλη σοφία πρέπει να κάνει πολλές θυσίες. Είναι γελοίο να πιστεύεις πως έπρεπε να πάω εγώ. Σαν να ζητάς από κοτζάμ στρατηγό να πολεμήσει σαν απλός στρατιώτης. Κι αν σκοτωθώ; Τι θ' απογίνει το έργο της ζωής μου;»

«Δεν αφήνεις το κατηχητικό, λέω γω;» είπε ο Ντίγκορυ. «Τι θα γίνει – θα φέρεις πίσω την Πόλυ;»

«Ίσα ίσα αυτό θα σου έλεγα, την ώρα που μ' έκοψες τόσο ανάγωγα» είπε ο Θείος Ανδρέας. «Στο τέλος, βρήκα έναν τρόπο επιστροφής απ' το ταξίδι: τα πράσινα δαχτυλίδια σε ξαναφέρνουν πίσω».

«Μα η Πόλυ δεν έχει πράσινο δαχτυλίδι».

«Όχι βέβαια» είπε ο Θείος Ανδρέας, και χαμογέλασε σατανικά.

«Ε, τότε δεν μπορεί να γυρίσει πίσω» φώναξε ο Ντίγκορυ. «Είναι σαν να τη σκότωσες!»

«Κι όμως, *μπορεί* να γυρίσει» είπε ο Θείος Ανδρέας. «Φτάνει να πάει κάποιος να τη βρει. Φτάνει κάποιος να φορέσει το κίτρινο δαχτυλίδι, και να πάρει μαζί του τα δύο πράσινα – ένα για να γυρίσει πίσω αυτός, κι ένα για να φέρει πίσω την Πόλυ».

Τώρα πια ο Ντίγκορυ είδε πως είχε πέσει στη φάκα. Κάρφωσε τα μάτια στο Θείο Ανδρέα και δε μίλησε. Είχε μείνει με το στόμα ανοιχτό, και τα μάγουλά του ήταν κατάχλομα.

«Ντίγκορυ» είπε σε λίγο ο Θείος Ανδρέας, κι η φωνή του αντήχησε δυνατή και επίσημη, λες κι ήταν ο τέλειος θείος που ετοιμαζόταν να δώσει του ανιψιού ένα γερό χαρτζιλίκι και τη σοφή του συμβουλή, «Ντίγκορυ. ελπίζω να μη δειλιάσεις. Θα πικραινόμουν πολύ, αν ένα μέλος της δικής μας οικογένειας δεν είχε τη φιλοτιμία και τον ιπποτισμό να βοηθήσει μια – χμμμ – μια κυρία που βρίσκεται σε δύσκολη θέση».

«Έτσι μου 'ρχεται να σε πνίξω!» είπε ο Ντίγκορυ. «Αν είχες φιλότιμο, θα πήγαινες μόνος σου – αλλά το ξέρω πως δε θα πας. Τι να γίνει; Αν κατάλαβα καλά, πρέπει να πάω εγώ. Όμως να ξέρεις πως είσαι *τέρας*! Μου φαίνεται πως τα 'χες όλα σχεδιασμένα: πρώτα να φύγει η Πόλυ, χωρίς να το πάρει είδηση, κι έπειτα να μ' αναγκάσεις να πάω να τη βρω».

«Και βέβαια» είπε ο Θείος Ανδρέας χαμογελώντας απαίσια.

«Πολύ ωραία. Θα πάω. Πρώτα όμως έχω να σου πω κάτι: Ίσαμε σήμερα, δεν πίστευα στα μαγικά. Τώρα βλέπω πως είναι αλήθεια. Οπότε, όλα τα παλιά παραμύθια πρέπει να 'ναι λίγο αληθινά. Και συ είσαι ένας κακός και άκαρδος μάγος, όπως στα παραμύθια. Έχω διαβάσει ένα σωρό ιστορίες – και παντού, όλοι οι όμοιοί σου το πληρώνουν στο τέλος. Πάω στοίχημα πως θα το πληρώσεις και συ. Όπως σου αξίζει!»

Απ' όλα τα λόγια που είχε πει ως τώρα ο Ντίγκορυ, αυτά ήταν τα πρώτα που πετύχαιναν το στόχο. Ο Θείος Ανδρέας σάστισε, και τέτοιος τρόμος ζωγραφίστηκε στην όψη του, που θα μπορούσες να τον λυπηθείς, κι ας ήταν τέρας. Την άλλη στιγμή όμως, η τρομαγμένη έκφραση έσβησε, και είπε γελώντας – με το ζόρι, είν' η αλήθεια: «Φυσικά. Τι άλλο θα σκεφτόταν ένα παιδί που μεγάλωσε κοντά σε γυναίκες; Ανόητες προλήψεις! Πάντως, να μην ανησυχείς για μένα. Καλύτερα να σκεφτείς τη φιλεναδούλα σου, που μπορεί και να κινδυνεύει. Έχει κάμποση ώρα που έφυγε, κι αν υπάρχουν κίνδυνοι Εκεί Πέρα – τι να σου πω; Δε θα 'ταν κρίμα να φτάσεις πολύ αργά;»

«Σιγά να μη σε νοιάζει!» αγρίεψε ο Ντίγκορυ.

«Άσε τις πολλές κουβέντες και πες μου τι πρέπει να κάνω».

«Πρώτα πρώτα, να μάθεις να κρατάς τα νεύρα σου» είπε παγερά ο Θείος Ανδρέας. «Ειδαλλιώς, όταν μεγαλώσεις θα γίνεις σαν τη θεία σου τη Λέτυ. Και τώρα, δώσε προσοχή».

Σηκώθηκε, φόρεσε τα γάντια του, και πλησίασε το δίσκο με τα δαχτυλίδια.

«Τα δαχτυλίδια σε παίρνουν μόνο αν αγγίξουν το δέρμα σου» είπε. «Όταν φοράς γάντια, μπορείς να τα πιάσεις – ορίστε: βλέπεις; – χωρίς να συμβεί τίποτα. Ούτε κι αν τα 'χεις στην τσέπη σου παθαίνεις τίποτα. Φτάνει να προσέξεις, βέβαια, και να μη βάλεις το χέρι στην τσέπη κατά λάθος. Μόλις πιάσεις το κίτρινο δαχτυλίδι, χάνεσαι αμέσως απ' αυτό τον κόσμο. Και φαντάζομαι – λέω, φαντάζομαι, γιατί δεν το 'χω δοκιμάσει ακόμα – πως όταν βρεθείς στον Άλλο Τόπο και θέλεις να ξαναγυρίσεις, πιάνεις το πράσινο δαχτυλίδι και – φαντάζομαι – χάνεσαι από εκείνο τον κόσμο και ξαναβρίσκεσαι σ' αυτόν εδώ. Λοιπόν: παίρνω τα δύο πράσινα και σου τα βάζω στη δεξιά σου τσέπη. Κοίτα να θυμάσαι καλά σε ποια τσέπη έχεις τα πράσινα – ένα για σένα, ένα για το κοριτσάκι. Και τώρα πιάσε μόνος σου το κίτρινο. Αν ήμουνα στη θέση σου, θα το φορούσα για να μην το χάσω».

Ο Ντίγκορυ έκανε να πιάσει το κίτρινο δαχτυλίδι, αλλά κοντοστάθηκε.

«Και δε μου λες; Η μαμά μου – αν ρωτήσει πού είμαι;»

«Όσο πιο γρήγορα φύγεις, τόσο πιο γρήγορα θα γυρίσεις» απάντησε πρόσχαρα ο Θείος Ανδρέας.

«Αφού εσύ δεν ξέρεις αν μπορώ να γυρίσω!»

Ο Θείος Ανδρέας ανασήκωσε τους ώμους, πλησίασε την πόρτα, την ξεκλείδωσε, την άνοιξε και είπε:

«Πολύ ωραία. Όπως αγαπάς. Κατέβα να φας, κι άσε τη μικρή να την κατασπαράξουν τ' άγρια θηρία, ή να πνιγεί, ή να πεθάνει από την πείνα στον Άλλο Κόσμο, ή να χαθεί για πάντα, αφού το θέλεις έτσι. Εμένα – το ίδιο μου κάνει. Βέβαια, το απογεματάκι ίσως θα πρέπει να πεταχτείς ως της κυρίας Πλάμερ, και να της εξηγήσεις πως δε θα ξαναδεί την κόρη της, μόνο και μόνο γιατί φοβήθηκες να βάλεις ένα δαχτυλίδι».

«Να πάρει η ευχή!» είπε ο Ντίγκορυ. «Αν ήμουνα μεγάλος, θα σ' έκανα τόπι στο ξύλο!»

Κούμπωσε έπειτα το σακάκι του, πήρε βαθιά ανάσα κι έπιασε το δαχτυλίδι. Μόνο ένα σκέφτηκε εκείνη τη στιγμή – όπως θα το ξανασκεφτόταν και μετά: πως δεν του έμενε και τίποτ' άλλο.

KEΦΑΛΑΙΟ ΤΡΙΤΟ

Το Δάσος Ανάμεσα Στους Κόσμους

Κι άξαφνα, ο Θείος Ανδρέας και το γραφείο του έγιναν καπνός. Για μια στιγμή όλα θόλωσαν, κι αμέσως μετά ο Ντίγκορυ είδε πως, από κάπου ψηλά, έπεφτε πάνω του ένα φως, πράσινο απαλό, και κάτω είχε μόνο σκοτάδι. Του φάνηκε πως δεν πατούσε πουθενά – μήτε καθιστός ήταν, μήτε ξαπλωμένος. Τίποτα δεν ένιωθε να τον αγγίζει. «Σαν να βρίσκομαι μέσα στο νερό» είπε μόνος του. «*Βαθιά στο νερό*». Αυτό τον τρόμαξε λιγάκι, μα πάνω στην ώρα άρχισε να ανεβαίνει ορμητικά, και σε λίγο, το ίδιο ξαφνικά, το κεφάλι του βγήκε στον καθαρό αέρα, κι ο Ντίγκορυ βρέθηκε με τα τέσσερα στην όχθη μιας λιμνούλας, πάνω σε χώμα λείο και χλοερό.

Σηκώθηκε, και τότε πρόσεξε πως ούτε νερά έσταζε, ούτε πνιγόταν να πάρει ανάσα – όπως θα πάθαινε, φυσικά, όποιος άλλος θα 'κανε τέτοιο μακροβούτι.

35

Τα ρούχα του ήταν ολόστεγνα. Στεκόταν έξω έξω στη λιμνούλα – ήταν δεν ήταν τρία μέτρα πλάτος – κι ολόγυρά του είχε ένα δάσος. Τα δέντρα φύτρωναν πυκνά, και το φύλλωμά τους ήταν τόσο παχύ, που δεν ξεχώριζες μήτε ακρούλα ουρανό. Το φως πρασίνιζε γιατί περνούσε μέσ' απ' τα φύλλα, μα πρέπει να έβγαινε από έναν ήλιο πολύ δυνατό, τόσο λαμπερή και ζεστή ήταν αυτή η πράσινη λιακάδα. Τέτοιο σιωπηλό δάσος δεν ξανάγινε ποτέ. Ούτε πουλιά είχε, ούτε ζώα, ούτε ζουζούνια, ούτε άνεμο. Ένιωθες ως και τα δέντρα να μεγαλώνουν. Και δεν είχε μόνο εκείνη τη λιμνούλα απ' όπου βγήκε ο Ντίγκορυ. Ως εκεί που

έφτανε το μάτι, ήταν ένα σωρό λίμνες: μια λίμνη κάθε λίγα μέτρα. Άκουγες τα δέντρα να ρουφάνε το νερό με τις ρίζες τους. Αυτό το δάσος ήταν ολοζώντανο. Αργότερα, όταν δοκίμασε να το περιγράψει, ο Ντίγκορυ είπε: «Ήταν χορταστικός τόπος: χορταστικός σαν τούρτα δαμάσκηνο!»

Μα το πιο παράξενο απ' όλα ήταν άλλο: Πριν καλοπρολάβει να κοιτάξει γύρω του, ο Ντίγκορυ κόντευε κιόλας να ξεχάσει πώς έφτασε ως εκεί. Δεν ξέρω πώς και τι, αλλά σίγουρα δε σκεφτόταν πια την Πόλυ, ούτε το Θείο Ανδρέα – ούτε καν τη μαμά του. Δεν ένιωθε φόβο, ταραχή ή περιέργεια. Αν τον ρωτούσες: «Από πού ήρθες;» το πιθανότερο είναι πως θα 'λεγε: «Εγώ; Εγώ πάντα εδώ ήμουνα». Κι έτσι ακριβώς ένιωθες – σαν να βρισκόσουν όλη σου τη ζωή σ' εκείνο τον τόπο, σαν να μην είχες βαρεθεί ποτέ, κι ας μη γινόταν ποτέ τίποτα. Όπως είπε ο Ντίγκορυ, πολλά χρόνια αργότερα, «Δεν είναι απ' τους τόπους όπου γίνεται τίποτα. Μόνο τα δέντρα μεγαλώνουν – αυτό είν' όλο».

Ο Ντίγκορυ στάθηκε και χάζεψε το δάσος, κι έπειτα από κάμποση ώρα πήρε το μάτι του ένα κοριτσάκι, λίγο πιο κει, ξαπλωμένο τ' ανάσκελα στη ρίζα ενός δέντρου. Είχε τα μάτια μισόκλειστα, λες και βρισκόταν ανάμεσα ύπνο και ξύπνιο. Ο Ντίγκορυ το κοιτούσε και δεν έλεγε τίποτα. Καμιά φορά, το κοριτσάκι άνοιξε τα μάτια και τον κοίταξε κι αυτό χωρίς να μιλήσει. Κι έπειτα είπε, σαν να ονειρεύεται:

«Μου φαίνεται πως εσένα κάπου σ' έχω ξαναδεί».

«Και μένα έτσι μου φαίνεται» είπε ο Ντίγκορυ. «Είσαι καιρό εδώ;»

«Πάντα εδώ ήμουνα» είπε το κοριτσάκι. «Ή – τουλάχιστον – δεν ξέρω. Πάρα πολύ καιρό».

37

«Κι εγώ» είπε ο Ντίγκορυ.

«Α, όχι δα! Αφού σε είδα που έβγαινες απ' τη λιμνούλα».

«Σαν να 'χεις δίκιο» έκανε σαστισμένος ο Ντίγκορυ. «Το 'χα ξεχάσει».

Πέρασε πάλι κάμποση ώρα χωρίς να μιλήσουν.

«Ξέρεις κάτι;» είπε σε λίγο το κοριτσάκι. «Λες να έχουμε ξανασυναντηθεί στ' αλήθεια; Να, έτσι μου ήρθε μια ιδέα – κάτι σαν εικόνα μέσα στο μυαλό μου. Ένα αγόρι κι ένα κορίτσι – σαν και μας. Μόνο που έμεναν σ' ένα μέρος αλλιώτικο απ' αυτό εδώ. Κι έκαναν άλλα πράγματα. Μπορεί να τ' ονειρεύτηκα».

«Μου φαίνεται πως κι εγώ τ' ονειρεύτηκα» είπε ο Ντίγκορυ. «Ήτανε, λέει, ένα αγόρι κι ένα κορίτσι, κι έμεναν στην ίδια γειτονιά. Και μια φορά είχανε τρυπώσει κάπου, σε κάτι δοκάρια. Θυμάμαι, μάλιστα, πως τα μούτρα του κοριτσιού ήταν λερωμένα».

«Μάλλον τα 'χεις μπερδέψει. Στο δικό μου όνειρο τα λερωμένα μούτρα τα 'χε το αγόρι».

«Δεν το θυμάμαι το πρόσωπο του αγοριού» είπε ο Ντίγκορυ, κι άξαφνα πετάχτηκε: «Έι! τι 'ναι τούτο;»

«Άχου! ένα ινδικό χοιρίδιο!» είπε το κοριτσάκι. Και είχε δίκιο. Ένα τετράπαχο ινδικό χοιρίδιο μασούλιζε φρέσκο χορταράκι. Στη μέση του όμως είχε δεμένη μια κορδέλα, κι απ' την κορδέλα κρεμόταν ένα αστραφτερό κίτρινο δαχτυλίδι.

«Κοίτα! Κοίτα!» φώναξε ο Ντίγκορυ. «Το δαχτυλίδι! Για δες! Και συ το ίδιο φοράς! Κι εγώ!»

Τώρα το κοριτσάκι ανακάθισε, κι έδειξε επιτέλους κάποιο ενδιαφέρον. Τα παιδιά κοιτάχτηκαν επίμονα, σαν κάτι να προσπαθούσαν να θυμηθούν. Κι έπειτα, ακριβώς την ίδια στιγμή, το κοριτσάκι φώναξε «Ο κύριος Κέτερλυ!» και το αγόρι «Ο Θείος Ανδρέας!»

κι αμέσως κατάλαβαν ποιος είναι ποιος, κι άρχισαν να ξαναθυμούνται όλη την ιστορία. Κι έπειτα από λίγη κουβέντα και κάμποσα μπερδέματα, τα πράγματα ξεκαθάρισαν, κι ο Ντίγκορυ εξήγησε στην Πόλυ τι απαίσια παγίδα τους είχε στήσει ο Θείος Ανδρέας.

«Και τώρα τι κάνουμε;» είπε η Πόλυ. «Να πάρουμε το ινδικό χοιρίδιο και να γυρίσουμε πίσω;»

«Δε μας βιάζει κανείς» χασμουρήθηκε φαρδιά πλατιά ο Ντίγκορυ.

«Εγώ λέω να πηγαίνουμε» είπε η Πόλυ. «Αυτό το δάσος είναι τόσο σιωπηλό, σαν – σαν όνειρο. Κοντεύει να σε πάρει ο ύπνος. Κι αν αποκοιμηθούμε κι οι δυο, θα μείνουμε εδώ για πάντα».

«Αχ, όμορφα που είναι!» είπε ο Ντίγκορυ.

«Είναι και παραείναι, μα πρέπει να γυρίσουμε». Η Πόλυ σηκώθηκε και πλησίασε πολύ προσεχτικά το ινδικό χοιρίδιο. Έπειτα το μετάνιωσε.

«Δεν πειράζει, άσ' το καλύτερα» είπε. «Εδώ πέρα τα περνάει μια χαρά. Αν ξαναπέσει στα χέρια του θείου σου – ποιος στη χάρη του!»

«Δε λες τίποτα!» είπε ο Ντίγκορυ. «Δεν είδες εμάς τι μας έκανε; Και – δε μου λες; Πώς θα γυρίσουμε πίσω;»

«Μάλλον απ' τη λιμνούλα».

Πλησίασαν και στάθηκαν στην όχθη κοιτάζοντας το ήρεμο νερό. Μέσα του καθρεφτίζονταν πράσινα κλαδιά γεμάτα φύλλα, και το 'καναν να φαίνεται πολύ βαθύ.

«Και δεν έχουμε μπανιερό» είπε η Πόλυ.

«Τι να το κάνουμε, βρε χαζή;» είπε ο Ντίγκορυ. «Θα μπούμε με τα ρούχα. Το ξέχασες που βγήκαμε χωρίς να βραχούμε;»

«Κολύμπι ξέρεις;»

«Λιγάκι. Εσύ;»

«Έτσι κι έτσι».

«Δε χρειάζεται» είπε ο Ντίγκορυ. «Εμείς θέλουμε να δουλιάξουμε».

Δεν τους άρεσε, βέβαια, η ιδέα να πηδήξουν στη λιμνούλα, μα κανένας τους δεν τόλμησε να το ξεστομίσει. Πιάστηκαν χέρι χέρι, και με το «Ένα - δύο - τρία - μαρς!» έδωσαν το σάλτο. Άκουσαν τότε ένα μεγάλο «Πλατς!» κι έκλεισαν τα μάτια τους. Όταν τα άνοιξαν, ανακάλυψαν πως βρίσκονταν ακόμα στο πράσινο δάσος, πιασμένοι από το χέρι, και το νερό τους έφτανε ως τον αστράγαλο. Η λιμνούλα είχε βάθος πέντ' έξι πόντους! Ξαναβγήκαν λοιπόν πλατσουρίζοντας στη στεριά.

«Τι στο καλό πήγε στραβά;» είπε φοβισμένη η Πόλυ· δεν ήταν όμως τόσο φοβισμένη όσο φανταζόσαστε, γιατί μέσα σ' εκείνο το δάσος ήταν πολύ δύσκολο να νιώσεις φόβο. Βασίλευε παντού τέτοια γαλήνη!

«Αχ, τώρα το κατάλαβα» είπε ο Ντίγκορυ. «Πώς να τα καταφέρουμε αφού φοράμε ακόμα τα κίτρινα δαχτυλίδια; Αυτά είναι μόνο για τον πηγεμό. Για το γυρισμό πρέπει να φοράς πράσινο. Πρέπει ν' αλλάξουμε δαχτυλίδια. Έχεις τσέπες; Ωραία. Βάλε το κίτρινο στη δεξιά σου τσέπη. Εγώ έχω τα δύο πράσινα. Πάρε το ένα εσύ».

Φόρεσαν τα πράσινα δαχτυλίδια και ξαναγύρισαν στη λιμνούλα. Μα πριν δώσουν το δεύτερο σάλτο, ο Ντίγκορυ κοντοστάθηκε: «Αααα!»

«Τι έπαθες;» ρώτησε η Πόλυ.

«Μου 'ρθε μια ιδέα» είπε ο Ντίγκορυ. «Μια ιδέα καταπληκτική! Τι λες να 'χει στις άλλες λιμνούλες;»

«Σαν τι να 'χει;»

40

«Κοίτα: αφού μπορούμε να γυρίσουμε στον κόσμο μας απ' αυτή τη λιμνούλα, μήπως γίνεται να πάμε κάπου αλλού αν πηδήξουμε σε μιαν άλλη; Μήπως υπάρχει ένας κόσμος στον πάτο κάθε λιμνούλας;»

«Εγώ νόμιζα πως βρισκόμαστε κιόλας στον κόσμο που έλεγε ο θείος σου, σ' εκείνο το – πώς το 'λεγε; – στο άλλο μέρος. Δεν είπες –»

«Βράσ' τονε το θείο μου» την έκοψε ο Ντίγκορυ. «Αυτός δεν ξέρει τι του γίνεται. Αφού δεν του βάσταγε νά 'ρθει μόνος του ως εδώ! Του έφτανε να λέει μόνο πως υπάρχει άλλος κόσμος. Ε, λοιπόν, κι εγώ σου λέω: κι αν υπάρχουν πολλοί;»

«Δηλαδή, να έχει κι άλλους κόσμους εκτός από το δάσος;»

«Μα, το δάσος δε μου φαίνεται για κόσμος. Μάλλον κάτι ενδιάμεσο πρέπει να 'ναι».

Η Πόλυ μπερδεύτηκε. «Δεν καταλαβαίνεις;» είπε ο Ντίγκορυ. «Κοίτα να δεις: Θυμάσαι εκείνη τη σήραγγα στο σπίτι σου, κάτω απ' τα κεραμίδια; Ούτε δωμάτιο είναι, ούτε μέρος κανενός σπιτιού. Μα όταν μπεις στη σήραγγα, μπορείς να προχωρήσεις και να τρυπώσεις σ' όποιο σπίτι θες. Διόλου απίθανο να είναι ίδιο και το δάσος: ένας τόπος που δεν ανήκει σε κανέναν κόσμο, αλλά όταν φτάσεις ως εδώ, μπορείς να περάσεις σε όλους τους κόσμους!»

«Και να μπορείς –» έκανε να πει η Πόλυ, αλλά ο Ντίγκορυ δεν της έδωσε σημασία και συνέχισε:

«Φυσικά, έτσι εξηγούνται τα πάντα. Γι' αυτό είναι τόση ησυχία κι όλα κοιμούνται. Εδώ δε συμβαίνει ποτέ τίποτα. Κάτι ανάλογο γίνεται και στο δικό μας κόσμο: Μέσα στα σπίτια οι άνθρωποι κουβεντιάζουν, κάνουν δουλειές, τρώνε. Τίποτα δε συμβαίνει στα ενδιάμεσα, πίσω απ' τους τοίχους, πάνω απ' τα ταβά-

41

νια, κάτω απ' τα πατώματα – ούτε στη σήραγγά μας. Όταν βγεις όμως απ' τη σήραγγα, θα βρεθείς μέσα σε κάποιο σπίτι. Γι' αυτό σου λέω πως, από τούτο τον τόπο, ίσως μπορούμε να περάσουμε Κάπου Αλλού. Και δε χρειάζεται να πηδήξουμε στη λιμνούλα μας. Τουλάχιστον για την ώρα».

«Το Δάσος Ανάμεσα Στους Κόσμους» ψιθύρισε η Πόλυ, σαν ονειροπαρμένη. «Ωραίο που είναι!»

«Λοιπόν;» είπε ο Ντίγκορυ. «Ποια λιμνούλα να δοκιμάσουμε;»

«Κοίτα κάτι» τον αποπήρε η Πόλυ, «εγώ δεν πρόκειται να δοκιμάσω άλλη λίμνη, αν δε σιγουρευτώ πρώτα πως μπορούμε να γυρίσουμε πίσω απ' αυτήν εδώ. Καλά καλά δεν ξέρουμε αν πιάνουν τα μαγικά».

«Τώρα μάλιστα!» είπε ο Ντίγκορυ. «Και να μας τσακώσει ο θείος και να μας βουτήξει τα δαχτυλίδια χωρίς να τα φχαριστηθούμε λιγάκι. Μας υποχρέωσες».

«Εγώ λέω να μπούμε στη λιμνούλα μας και να κάνουμε μόνο το μισό δρόμο» είπε η Πόλυ. «Έτσι θα δούμε αν γίνεται, κι όταν βεβαιωθούμε, αλλάζουμε δαχτυλίδια και ξαναβγαίνουμε, προτού φτάσουμε στο γραφείο του κυρίου Κέτερλυ».

«Ναι, αλλά γίνεται να κάνουμε μόνο το μισό δρόμο;»

«Τι να σου πω;» Αφού χρειαστήκαμε λίγη ώρα για να βγούμε ως εδώ, μου φαίνεται πως θέλουμε άλλη τόση για να ξαναγυρίσουμε».

Ο Ντίγκορυ έφερε μεγάλες δυσκολίες ώσπου να συμφωνήσει, αλλά στο τέλος υποχώρησε, γιατί η Πόλυ αρνιόταν να εξερευνήσει άλλους κόσμους αν δε σιγουρευόταν πρώτα πως μπορεί να γυρίσει στον παλιό. Όταν συναντούσε κάτι επικίνδυνο – σφήκες, ας πούμε – ήταν κι αυτή γενναία σαν τον Ντίγκορυ. Κατά τα άλλα, δεν είχε και μεγάλη περιέργεια να ανακαλύψει πράγματα πρωτάκουστα. Ο Ντίγκορυ όμως ήταν από κείνους που θέλουν να τα ξέρουν όλα, κι όταν μεγάλωσε έγινε σπουδαίος και τρανός, ο περίφημος καθηγητής Κερκ, που θα τον δούμε σε άλλα βιβλία.

Αφού λοιπόν λογόφεραν κάμποσο, συμφώνησαν να φορέσουν τα πράσινα δαχτυλίδια, να πιαστούν από το χέρι και να πηδήξουν. Κι όταν θα κόντευαν να φτάσουν στο γραφείο του Θείου Ανδρέα, ή στον κόσμο τους, η Πόλυ θα φώναζε «Αλλαγή!» και τότε θα έβγαζαν τα πράσινα δαχτυλίδια και θα φορούσαν τα κίτρινα. Το «Αλλαγή!» ήθελε να το φωνάξει ο Ντίγκορυ, μα η Πόλυ δε σήκωνε λέξη.

Έβαλαν λοιπόν τα πράσινα δαχτυλίδια, πιάστηκαν χέρι χέρι, είπαν το «Ένα - δύο - τρία - μαρς!» κι αυτή τη φορά τα μαγικά δούλεψαν στην εντέλεια. Δεν είναι καθόλου εύκολο να σας πω πώς ακριβώς ήταν, γιατί όλα έγιναν πολύ γρήγορα. Στην αρχή, ξεχώρισαν κάτι μεγάλα φώτα που έτρεχαν σ' έναν κατάμαυρο ουρανό: ακόμα και σήμερα ο Ντίγκορυ λέει πως ήταν άστρα, και μάλιστα παίρνει όρκο πως είδε από πολύ κοντά τον πλανήτη Δία – τόσο κοντά που μέτρησε τα φεγγάρια του. Την ίδια στιγμή όμως, φάνηκαν οι στέγες, ατέλειωτες στέγες με καμινάδες, κι έπειτα ο Απόστολος Παύλος, και τότε κατάλαβαν πως έχουν μπροστά τους το Λονδίνο. Τώρα μπορούσαν να δουν πίσω απ' τους τοίχους των σπιτιών, κι άξαφνα ξεχώρισαν το Θείο Ανδρέα. Στην αρχή ήταν θαμπός, σαν σκιά, μα λίγο λίγο καθάριζε κι έμοιαζε πιο χειροπιαστός καθώς πλησίαζαν. Όμως, πριν γίνει εντελώς πραγματικός, η Πόλυ φώναξε «Αλλαγή!»

43

κι άλλαξαν δαχτυλίδια, κι ο κόσμος μας έσβησε σαν όνειρο, και το πράσινο φως ψηλά άρχισε να δυναμώνει, ώσπου τα κεφάλια τους βγήκαν απ' το νερό της λίμνης και τα παιδιά βρέθηκαν στην όχθη. Γύρω τους είχαν πάλι το δάσος, πράσινο κι αστραφτερό σαν πάντα. Όλο όλο το ταξίδι δεν πήρε ούτε ένα λεπτό.

«Ορίστε» είπε ο Ντίγκορυ. «Δεν υπάρχει πρόβλημα. Και τώρα, περιπέτεια. Όποια λιμνούλα να 'ναι. Έλα! Θ' αρχίσουμε απ' αυτήν εδώ».

«Μια στιγμή» είπε η Πόλυ. «Δε θα βάλουμε σημάδι στη δική μας λιμνούλα;»

Κοιτάχτηκαν και χλόμιασαν, γιατί κατάλαβαν πως παραλίγο να κάνουν τρομερή γκάφα. Το δάσος είχε αμέτρητες λιμνούλες, ίδιες κι απαράλλαχτες, κι όλα τα δέντρα ήταν ίδια, έτσι που, αν άφηναν πίσω τους τη λίμνη του δικού μας κόσμου, θα είχαν μια πιθανότητα στις εκατό να την ξαναβρούν.

Το χέρι του Ντίγκορυ έτρεμε καθώς άνοιγε το σουγιαδάκι του και χάραζε μια πλατιά λουρίδα βρύα στην όχθη της λίμνης. Το χώμα μοσχομύριζε, κι είχε ένα πλούσιο κοκκινοκάστανο χρώμα που ταίριαζε περίφημα με το πράσινο χόρτο. «Ευτυχώς που ο ένας απ' τους δυο μας είναι μυαλωμένος» είπε η Πόλυ.

«Ουφ τώρα, μην το κάνεις ζήτημα!» είπε ο Ντίγκορυ. «Έλα να δούμε τι έχει στις άλλες λίμνες». Κι η Πόλυ του απάντησε κάτι πολύ τσουχτερό, και κείνος της αντιγύρισε κάτι ακόμα χειρότερο. Ο καβγάς κράτησε μερικά λεπτά, αλλά θα ήταν πολύ ανιαρό να τον περιγράψουμε λέξη προς λέξη. Ας φτάσουμε, λοιπόν, στη στιγμή που, όλο καρδιοχτύπι και με όψη κάπως φοβισμένη, στάθηκαν έξω έξω σε μιαν άγνωστη λιμνούλα, φόρεσαν τα κίτρινα δαχτυλίδια κι είπαν ξανά «Ένα - δύο - τρία - μαρς!»

44

Μπλουμ! Πάλι δεν έπιασαν τα μαγικά. Φαίνεται πως κι αυτή η λιμνούλα ήταν ξέβαθη. Αντί να μπουν σε καινούριο κόσμο, ίσα που έβρεξαν τα πόδια τους και πιτσιλίστηκαν για δεύτερη φορά εκείνο το πρωί – αν ήταν πρωί, γιατί στο Δάσος Ανάμεσα Στους Κόσμους έμοιαζε να 'ναι πάντα η ίδια ώρα.

«Κοίτα αναποδιά» είπε ο Ντίγκορυ. «Μα τι δεν πήγε καλά; Τα κίτρινα δαχτυλίδια τα φορέσαμε, όπως έπρεπε. Έλεγε πως τα κίτρινα είναι για τον πηγεμό».

Για να σας πω την αλήθεια, ο Θείος Ανδρέας, που δεν είχε ιδέα πως υπάρχει Δάσος Ανάμεσα Στους Κόσμους, τα 'χε κάπως μπερδέψει με τα δαχτυλίδια. Τα κίτρινα δεν ήταν για τον «πηγεμό» ούτε τα πράσινα για το «γυρισμό» – τουλάχιστον για τον πηγεμό και το γυρισμό που φανταζόταν αυτός. Τα δαχτυλίδια ήταν φτιαγμένα με υλικό από το δάσος. Το υλικό των κίτρινων δαχτυλιδιών είχε τη δύναμη να σε τραβάει στο δάσος, γιατί λαχταρούσε να ξαναγυρίσει στον τόπο του, στο Ενδιάμεσο. Το υλικό των πράσινων δαχτυλιδιών πάλι, ήθελε να φύγει από τον τόπο του – κι έτσι το πράσινο δαχτυλίδι μπορούσε να σε βγάλει από το δάσος και να σε πάει σε άλλους κόσμους. Βλέπετε, ο Θείος Ανδρέας έκανε μαγικά που δεν τα πολυκαταλάβαινε – όπως οι περισσότεροι μάγοι, εξάλλου. Βέβαια, ούτε κι ο Ντίγκορυ είχε καταλάβει τα πάντα – ή, τουλάχιστον, χρειάστηκε αρκετό χρόνο. Μα όταν τα κουβέντιασαν, πήραν απόφαση να δοκιμάσουν τα πράσινα δαχτυλίδια στην άγνωστη λίμνη – μόνο και μόνο για να δουν τι θα συμβεί.

«Αν πας εσύ μια, εγώ πάω δέκα» είπε η Πόλυ – γιατί, στο βάθος, ένιωθε πια σίγουρη πως κανένα δαχτυλίδι δε θα ταίριαζε στην καινούρια λίμνη, κι έτσι

45

δεν είχε να φοβηθεί τίποτα χειρότερο πέρα από ένα αθώο πλατσούρισμα. Δε θα 'λεγα όμως ότι κι ο Ντίγκορυ πίστευε τα ίδια. Τέλος πάντων, όταν φόρεσαν τα πράσινα δαχτυλίδια και ξαναγύρισαν στην άκρη του νερού και ξαναπιάστηκαν από το χέρι, ήταν το δίχως άλλο πιο κεφάτοι και λιγότερο σοβαροί από την πρώτη φορά.

«Ένα - δύο - τρία - μαρς!» είπε ο Ντίγκορυ. Και πήδηξαν.

ΚΕΦΑΛΑΙΟ ΤΕΤΑΡΤΟ

Σφυρί και καμπάνα

Αυτή τη φορά τα μάγια έπιασαν – δε χωρούσε αμφιβολία. Βούλιαζαν ορμητικά προς τα κάτω, διασχίζοντας πηχτά σκοτάδια, κι ύστερα κάτι σχήματα μπερδεμένα, που δεν πρόλαβαν να τα ξεχωρίσουν γιατί στροβιλίζονταν δαιμονισμένα. Λίγο λίγο, το σκοτάδι ξάνοιγε, ώσπου άξαφνα ένιωσαν κάτω από τα πόδια τους κάτι στέρεο, κι όλες οι εικόνες ξεκαθάρισαν, και είδαν επιτέλους πού βρίσκονται.

«Μυστήριο μέρος» είπε ο Ντίγκορυ.

«Εμένα πάντως δε μ' αρέσει καθόλου» είπε η Πόλυ τουρτουρίζοντας.

Πρώτα πρώτα, πρόσεξαν το φως. Δεν έμοιαζε με φως του ήλιου μήτε με ηλεκτρικό, δεν πρέπει να έβγαινε ούτε από λάμπα πετρελαίου ούτε από κερί. Δεν έμοιαζε με κανένα φως που είχαν δει ως τότε: ήταν μουντό, κοκκινωπό, διόλου χαρούμενο. Έφεγγε

47

όμως σταθερά, χωρίς να τρέμει. Τα παιδιά πατούσαν σε ίσιο πλακόστρωτο, και γύρω γύρω ορθώνονταν κτίρια. Πάνω από τα κεφάλια τους δεν είχε σκεπή – να 'ταν καμιά αυλή; Ο ουρανός ήταν θεοσκότεινος, ένα σκούρο μελανί, σαν μαύρο, κι όταν τον έβλεπες, απορούσες πώς γίνεται να φέγγει ακόμα το κόκκινο φως.

«Περίεργος καιρός» είπε ο Ντίγκορυ. «Σαν να ζυγώνει καταιγίδα, σαν έκλειψη».

«Εμένα πάντως δε μ' αρέσει καθόλου» ξανάπε η Πόλυ.

Χωρίς να ξέρουν γιατί, μιλούσαν ψιθυριστά, και κανείς τους δεν έλεγε ν' αφήσει το χέρι του άλλου.

Πελώριοι τοίχοι έκλειναν την αυλή απ' όλες τις μεριές, γεμάτοι μεγάλα παράθυρα χωρίς τζάμια, κι από μέσα τίποτα, μόνο σκοτάδι πίσσα. Πιο κει, θεόρατες αψίδες έχασκαν κατάμαυρες πάνω στις βαριές κολόνες, σαν το στόμιο στο τούνελ του τρένου. Έκανε ψύχρα.

Τους φάνηκε πως όλα ήταν χτισμένα με κόκκινη πέτρα, αλλά μπορεί να 'φταιγε το παράξενο φως. Ήταν παμπάλαιο κτίσμα, και το πλακόστρωτο της αυλής είχε ραγίσει. Οι πλάκες, στρωμένες αραιά, πετούσαν φαγωμένες στις σουβλερές γωνιές τους. Μια καμάρα ήταν μισογεμάτη χαλάσματα. Τα παιδιά γύριζαν αργά γύρω γύρω για να δουν όλη την αυλή. Φοβόντουσαν πως κάποιος – ή κάτι – τα παραμόνευε απ' τα παράθυρα.

«Λες να μένει κανείς εδώ μέσα;» είπε στο τέλος ο Ντίγκορυ, πάντα ψιθυριστά.

«Μπα, αυτό είναι ερείπιο. Τίποτα δεν ακούστηκε από τότε που ήρθαμε».

«Κάτσε ήσυχα ν' αφουγκραστούμε».

Στάθηκαν ασάλευτοι κι έστησαν αυτί. Μόνο ο γρήγορος χτύπος της καρδιάς τους ακουγόταν. Ο τόπος ήταν σιωπηλός, σαν το γαλήνιο Δάσος Ανάμεσα Στους Κόσμους – μόνο που εδώ είχε μια ησυχία αλλιώτικη. Η σιγαλιά του Δάσους ήταν πλούσια και ζεστή, γεμάτη ζωή, θαρρείς κι άκουγες τα δέντρα να μεγαλώνουν. Εδώ είχε μια κρύα σιωπή, αδειανή, νεκρική. Δεν μπορούσες να φανταστείς τίποτα να μεγαλώνει σ' αυτό τον τόπο.

«Θέλω να γυρίσουμε πίσω» είπε η Πόλυ.

«Από τώρα; Ακόμα δεν είδαμε τίποτα. Αφού ήρθαμε, πρώτα να ρίξουμε μια ματιά».

«Κι εγώ σου λέω πως δε θα 'χει τίποτα που ν' αξίζει».

«Ε, τότε τι να το κάνεις το μαγικό δαχτυλίδι που σε πηγαίνει σε άλλους κόσμους; Εσύ, παιδί μου, φοβάσαι και να τους κοιτάξεις!»

«Ποιος φοβάται;» είπε η Πόλυ, κι άφησε το χέρι του Ντίγκορυ.

«Δε σε βλέπω να 'χεις όρεξη για εξερευνήσεις».

«Αν έχεις εσύ μια, εγώ έχω δέκα!»

«Κι όποτε θέλουμε, φεύγουμε» είπε ο Ντίγκορυ. «Λοιπόν: να βγάλουμε τώρα τα πράσινα δαχτυλίδια και να τα βάλουμε στη δεξιά μας τσέπη. Μην ξεχνάς: τα κίτρινα στην αριστερή. Δεν πειράζει αν ακουμπήσεις το χέρι στην τσέπη, αλλά κοίτα μην ξεχαστείς και το βάλεις μέσα, γιατί θα πιάσεις το κίτρινο δαχτυλίδι και θα γίνεις άφαντη».

Τα βόλεψαν, κι έπειτα πλησίασαν αθόρυβα μια πε-
'α αψίδα απ' όπου έμπαινες στο κτίριο. Κι όταν θηκαν στο κατώφλι να κοιτάξουν, διαπίστωσαν πως μέσα δεν ήταν τόσο σκοτεινά όσο τους φάνηκε πρωτύτερα. Απ' την αψίδα ξεκινούσε ένας απέρα-

50

ντος διάδρομος, γεμάτος ίσκιους, αδειανός· στο τέλος του διαδρόμου είχε πάλι κολόνες με καμάρες, κι από πίσω έφεγγε το ίδιο κουρασμένο φως. Μπήκαν στο διάδρομο πατώντας με μεγάλη προσοχή, γιατί φοβόντουσαν μήπως έχει καμιά τρύπα στο πάτωμα, ή μη σκοντάψουν πουθενά. Πήγαιναν, πήγαιναν και τελειωμό δεν είχε. Κι όταν, με τα πολλά, έφτασαν στην άλλη άκρη, πέρασαν τις καμάρες και βγήκαν σε μια δεύτερη αυλή, πιο μεγάλη απ' την πρώτη.

«Εδώ μέσα κινδυνεύουμε» είπε η Πόλυ, κι έδειξε μια μεριά του τοίχου που φούσκωνε, λες κι ήταν έτοιμη να γκρεμιστεί στην αυλή. Πιο κάτω, ανάμεσα σε δυο καμάρες, έλειπε ολόκληρη κολόνα. Το κιονόκρανο δεν είχε πού να πατήσει και κρεμόταν στο κενό. Το δίχως άλλο, αυτό το μέρος είχε μείνει ρημαγμένο αιώνες – ίσως και χιλιάδες χρόνια.

«Αν άντεξε ως τώρα, θ' αντέξει λίγο ακόμα» είπε ο Ντίγκορυ.

«Κοίτα όμως να μην κάνουμε φασαρία. Ξέρεις, καμιά φορά, και με τον παραμικρό θόρυβο γίνεται κατολίσθηση – όπως με τις χιονοστιβάδες στις Άλπεις».

Τα παιδιά πέρασαν την αυλή, μπήκαν σε μιαν άλλη πύλη, ανέβηκαν τις πελώριες σκάλες, και βρέθηκαν σε κάτι απέραντα δωμάτια. Το 'να δωμάτιο έβγαζε στο άλλο, ώσπου στο τέλος έχανες το λογαριασμό, και μόνο οι διαστάσεις τους σε ζάλιζαν. Κάθε φορά έλεγαν πως, επιτέλους, θα βγουν στ' ανοιχτά, να δουν σε τι λογής χώρα ανήκει τούτο το πελώριο παλάτι, και κάθε φορά έβγαιναν και σ' άλλη αυλή. Πάντως, το παλάτι πρέπει να 'ταν υπέροχο όταν το κατοικούσαν ακόμα άνθρωποι. Σε μια αίθουσα είχε, σε καιρούς αλλοτινούς, ένα συντριβάνι: Ένα πελώριο πέτρινο τέρας, όρθιο, με φτερούγες απλωτές και στό-

51

μα που έχασκε. Βαθιά μες στο στόμα φαινόταν ακόμα ο σωλήνας που έτρεχε νερό, κι από κάτω είχε μια φαρδιά πέτρινη γούρνα για να το μαζεύει, μόνο που τώρα ήταν θεόστεγνη. Σε μιαν άλλη μεριά βρήκαν καρβουνιασμένα τα βλαστάρια κάποιου πελώριου αναρριχητικού που ήταν πλεγμένο στις κολόνες κι είχε γκρεμίσει κάμποσες. Το φυτό είχε πεθάνει από καιρό, πολύ καιρό. Κι ύστερα, δεν πήρε πουθενά το μάτι τους μυρμήγκι, ούτε αράχνη, ούτε άλλο ζούδι απ' αυτά που κατοικούνε στα χαλάσματα, και το ξερό χώμα που φαινόταν μέσ' από το σπασμένο πλακόστρωτο δεν είχε βρύα ούτε χορτάρι.

Ήταν όλα τόσο φοβερά και ολόιδια, που ως κι ο Ντίγκορυ σκέφτηκε να βάλουν τα κίτρινα δαχτυλίδια και να ξαναγυρίσουν στο ζεστό, πράσινο κι ολοζώντανο Δάσος του Ενδιάμεσου – όταν, άξαφνα, είδαν μπροστά τους μιά πελώρια δίφυλλη πόρτα, φτιαγμένη από κάποιο μέταλλο, ίσως κι από χρυσάφι. Το 'να πορτόφυλλο ήταν μισάνοιχτο, κι έχωσαν το κεφάλι τους να ρίξουν μια ματιά. Κι οι δυο τινάχτηκαν πίσω με κομμένη ανάσα. Επιτέλους! Εδώ κι αν είχε αξιοθέατα!

Για μια στιγμή, η αίθουσα τους φάνηκε γεμάτη κόσμο – εκατοντάδες ανθρώπους, που κάθονταν ασάλευτοι. Όπως θα το μαντέψατε, κι η Πόλυ με τον Ντίγκορυ στάθηκαν δίχως να σαλεύουν και κοιτούσαν, ώρα πολλή. Σιγά σιγά όμως, άρχισαν να καταλαβαίνουν πως δεν είχαν μπροστά τους αληθινούς ανθρώπους. Τίποτα δεν κουνιόταν ούτε ανάσαινε, δεν ακουγόταν τσιμουδιά. Έμοιαζαν με κέρινα ομοιώματα – υπέροχα κέρινα ομοιώματα, τέτοια που δεν έχετε δει ποτέ σας.

Αυτή τη φορά, πρώτη προχώρησε η Πόλυ. Στην αίθουσα είχε κάτι που της κέντρισε το ενδιαφέρον: τα ομοιώματα φορούσαν ρούχα ονειρεμένα – κι αν σου άρεσαν οι φορεσιές, έστω και λίγο, ήταν αδύνατο να μη ζυγώσεις να τις δεις από κοντά. Είχαν χρώματα εκτυφλωτικά, που δεν έκαναν βέβαια την αίθουσα να φαίνεται χαρούμενη, της έδιναν όμως πλούτο και μεγαλοπρέπεια έπειτα από τη σκονισμένη ερημιά των άλλων δωματίων. Εδώ είχε πιο πολλά παράθυρα, κι έφεγγε καλύτερα.

Αν με ρωτάτε τώρα για τις φορεσιές – πώς να σας τις περιγράψω; Όλα τα ομοιώματα είχαν κορόνες και μακριά φορέματα, κόκκινα της φωτιάς και αση-

53

μόγκριζα, πράσινα χτυπητά και βαθυπόρφυρα: και πάνω στα φορέματα είχε σχέδια ολοκέντητα, με λουλούδια και παράξενα ζώα. Πολύτιμα πετράδια, απίστευτα μεγάλα και αστραφτερά, γυαλοκοπούσαν πάνω στις κορόνες, κρέμονταν με καδένες από το λαιμό τους, ή σκάλωναν μισοκρυμμένα στις πτυχές των ρούχων.

«Για δες τα υφάσματα – πώς δε σάπισαν, τόσο καιρό;» είπε η Πόλυ.

«Από τα μάγια» ψιθύρισε ο Ντίγκορυ. «Δεν τα νιώθεις; Πάω στοίχημα πως αυτή η αίθουσα έχει μαρμαρώσει από κάτι μαγικό. Καλά το 'νιωσα τη στιγμή που μπαίναμε».

«Αυτά τα ρούχα πρέπει να κάνουν μια περιουσία» είπε η Πόλυ.

Τον Ντίγκορυ, όμως, πιο πολύ τον τράβηξαν τα πρόσωπα: άξιζε τον κόπο να τα βλέπεις – και με το παραπάνω! Οι παράξενοι άνθρωποι κάθονταν σε πέτρινους θρόνους, δεξιά κι αριστερά της αίθουσας, κι ανάμεσα όλος ο χώρος ήταν αδειανός. Μπορούσες να

τον σεργιανίσεις και να τους χαζεύεις έναν ένα στη σειρά.

«Πρέπει να 'τανε καλοί άνθρωποι» είπε ο Ντίγκορυ.

Η Πόλυ κούνησε το κεφάλι, έτσι νόμιζε κι αυτή. Τα πρόσωπα που αντίκριζε ήταν καλοσυνάτα. Γυναίκες κι άντρες, φαίνονταν γεμάτοι ευγένεια και σοφία, κατάγονταν από ωραία φυλή. Μα προχωρώντας πιο κάτω, τα παιδιά συνάντησαν πρόσωπα κάπως διαφορετικά, πολύ αυστηρά, επίσημα. Το 'νιωθες πως, αν πετύχαινες πουθενά τέτοιους ανθρώπους ζωντανούς, έπρεπε να μετράς τα λόγια σου. Προχώρησαν ακόμα λίγο, κι είδαν πρόσωπα που δεν τους άρεσαν καθόλου: αυτά εδώ ήταν σχεδόν στη μέση της αίθουσας, κι έμοιαζαν πολύ δυνατά, περήφανα κι ευτυχισμένα, αλλά σκληρά. Παρακάτω, τα πρόσωπα ήταν ακόμα πιο σκληρά, και παρακάτω σκληρότερα, μόνο που πια δε φαίνονταν καθόλου ευτυχισμένα. Είχε και πρόσωπα που τα 'βλεπες και σ' έπιανε απελπισία: λες κι οι άνθρωποι αυτοί είχαν κάνει πράγματα τρομερά, ή πέρασαν από φριχτές δοκιμασίες. Το τελευταίο στη σειρά ήταν, το δίχως άλλο, το πιο περίεργο: μια γυναίκα, ντυμένη πιο πλούσια από τους άλλους, θεόρατη – αν και πρέπει να πούμε πως όλοι οι ασάλευτοι άνθρωποι της αίθουσας ήταν ψηλότεροι απ' τους ανθρώπους του δικού μας κόσμου – με όψη τόσο άγρια και περήφανη, που σου κοβόταν η ανάσα. Όμως ήταν ωραία. Χρόνια αργότερα, γέρος πια, ο Ντίγκορυ έλεγε πως δεν ξανάδε στη ζωή του ωραιότερη γυναίκα. Για να μην αδικήσουμε κανέναν, πρέπει ωστόσο να αναφέρουμε και την άποψη της Πόλυ, που υποστήριζε ότι η γυναίκα δεν είχε τίποτα το ιδιαίτερα ωραίο.

Η γυναίκα, όπως σας έλεγα και πριν, ήταν η τελευταία. Δίπλα της είχε όμως ένα σωρό άδειους θρόνους, λες και η αίθουσα προοριζόταν για περισσότερα είδωλα.

«Αχ, να ξέραμε τι ιστορία κρύβεται πίσω απ' όλα τούτα!» είπε ο Ντίγκορυ. «Για να δούμε! Τι 'ναι αυτό εκεί, στη μέση; Σαν τραπέζι μοιάζει».

Δε θα το 'λεγες ακριβώς τραπέζι. Ήταν μια κοντή τετράγωνη κολόνα, κάπου ενάμισι μέτρο ύψος, και πάνω της στεκόταν μια μικρή χρυσή αψίδα. Απ' την αψίδα κρεμόταν μια χρυσή καμπάνα, και δίπλα είχε ακουμπισμένο ένα χρυσό σφυρί.

«Αχ, και να 'ξερα... και να 'ξερα...» είπε ο Ντίγκορυ.

«Για δες, κάτι γράφει εδώ» είπε η Πόλυ, κι έσκυψε να κοιτάξει στο πλάι της κολόνας.

«Βρε, που να πάρει η ευχή! Δίκιο έχεις» είπε ο Ντίγκορυ. «Μα δε θα μπορέσουμε να το διαβάσουμε».

«Γιατί όχι; Μην είσαι τόσο σίγουρος» είπε η Πόλυ.

Περιεργάστηκαν λοιπόν την επιγραφή και, όπως θα το περιμένατε, τα γράμματα, χαραγμένα στην πέτρα, ήταν αλλόκοτα και άγνωστα. Τότε όμως, έγινε το μεγάλο θαύμα: τα παράξενα γράμματα δεν άλλαξαν διόλου, αλλά η Πόλυ κι ο Ντίγκορυ, κοιτάζοντάς τα, κατάλαβαν πως μπορούν να τα διαβάσουν. Όσο για τον Ντίγκορυ – αν θυμόταν τι έλεγε πριν από λίγο, πως η αίθουσα του φάνηκε μαγεμένη, θα μάντευε ότι τα μάγια είχαν αρχίσει να πιάνουν. Μόνο που τώρα, μεθυσμένος απ' την περιέργεια, δεν κάθισε να το σκεφτεί. Ήθελε σώνει και καλά να μάθει τι λέει η επιγραφή. Σε λίγο το ήξεραν κι οι δυο. Έλεγε κάτι τέτοιο πάνω κάτω – εγώ σας δίνω μόνο το νόημα,

56

γιατί το ποίημα ήταν πολύ καλύτερο όταν το διάβαζες στην κολόνα:

Αν έχεις τόλμη, ξένε, εδώ που 'χεις βρεθεί,
σήμανε την καμπάνα και ο κίνδυνος θα 'ρθει.
Ή πάλι φύγε, και μια σκέψη ας σε τρελάνει:
τι θα 'βλεπες, αν την καμπάνα είχες σημάνει.

«Να μένει το βύσσινο!» είπε η Πόλυ. «Αρκετούς κινδύνους περάσαμε».

«Μα δε βλέπεις πως δε γίνεται αλλιώς;» είπε ο Ντίγκορυ. «Τώρα πια δεν μπορούμε να γλιτώσουμε. Στον αιώνα τον άπαντα, ένα θα μας τρώει: τι θα γινόταν αν χτυπούσαμε την καμπάνα. Κι εγώ δεν έχω όρεξη να φύγω και μετά να το σκέφτομαι ώσπου να τρελαθώ».

«Κοίτα μην κάνεις καμιά κουταμάρα!» είπε η Πόλυ. «Από πού κι ως πού να το σκέφτεσαι; Τι σε νοιάζει εσένα;»

«Αν κατάλαβα καλά, όποιος φτάσει ως εδώ είναι γραφτό να το σκέφτεται ώσπου να του στρίψει. Έτσι είναι τα μαγικά. Αφού τα νιώθω! Μ' έχουνε πιάσει».

«Εγώ δε νιώθω τίποτα» πείσμωσε η Πόλυ. «Ούτε και συ τα νιώθεις, δε σε πιστεύω. Το παρατραβάς».

«Τα μυαλά σου και μια λίρα!» είπε ο Ντίγκορυ. «Αλλά, τι λέω; Κορίτσι δεν είσαι; Τι άλλο να περιμένει κανείς; Τα κορίτσια μόνο για κουτσομπολιά και για γάμους ενδιαφέρονται».

«Άκου τον πώς μιλάει! Φτυστός ο θείος του!»

«Μην αλλάζεις κουβέντα. Εμείς λέγαμε —»

«Όλοι οι άντρες ίδιοι είσαστε» είπε η Πόλυ με μεγαλίστικη φωνή. Και βιάστηκε να προσθέσει με την κανονική της: «Και μη μου πεις τίποτα για τις γυναί-

57

κες, γιατί δεν έχει νόημα να ξεσηκώνεις ό,τι κάνω».
«Εσύ γυναίκα;» είπε ακατάδεχτα ο Ντίγκορυ.
«Εσύ, παιδί μου, είσαι μωρό».
«Α, τώρα έγινα και μωρό;» αγρίεψε η Πόλυ. Ήταν στ' αλήθεια έξω φρενών. «Τότε, να μη σου γίνομαι φόρτωμα. Να μην έχεις να σέρνεις μαζί σου και μωρά! Φεύγω. Μπάφιασα εδώ μέσα. Και σένα σε βαρέθηκα – τέρας, στριμμένε, πεισματάρη!»
«Σε γελάσανε!» είπε ο Ντίγκορυ, με μια κακία μεγαλύτερη απ' όση θα 'θελε, γιατί είδε την Πόλυ να βάζει το χέρι στην τσέπη με το κίτρινο δαχτυλίδι. Και τότε έκανε κάτι που δεν μπορώ να το δικαιολογήσω με κανέναν τρόπο. Σας λέω μόνο πως, αργότερα, το μετάνιωσε πικρά, όπως το μετάνιωσαν κι ένα σωρό άλλοι. Την ώρα που το χέρι της Πόλυ έμπαινε στην τσέπη, την άρπαξε απ' τον καρπό, της το 'στριψε και το γύρισε πίσω του. Έπειτα, παραμερίζοντας το άλλο της χέρι με τον αγκώνα του, έσκυψε, έπιασε το σφυρί και χτύπησε τη χρυσή καμπάνα, επιδέξια κι ανάλαφρα. Τότε μόνο της άφησε το χέρι και χωρίστηκαν. Κοιτάχτηκαν λαχανιάζοντας. Η Πόλυ έκλαιγε – όχι από φόβο, ούτε επειδή πονούσε το χέρι της. Έκλαιγε από θυμό. Τώρα όμως είχαν καινούρια πράγματα να σκεφτούν, και ξέχασαν ολωσδιόλου τον καβγά.
Η καμπάνα έβγαλε μια μελωδική νότα, πολύ γλυκιά, όπως θα περιμένατε, κι όχι ιδιαίτερα δυνατή. Μα η νότα αυτή, αντί να σβήσει, αντηχούσε συνέχεια, κι όσο συνέχιζε, τόσο δυνάμωνε. Σ' ένα λεπτό είχε γίνει δυο φορές πιο δυνατή, και σε λίγο ακόμα δυνάμωσε τόσο που, και να δοκίμαζαν να μιλήσουν, τα παιδιά δε θ' άκουγαν τίποτα. (Η αλήθεια είναι, πάντως, πως δεν τους πέρασε απ' το νου να μιλή-

σουν, γιατί είχαν μείνει με το στόμα ανοιχτό). Η νότα δυνάμωνε, και σε λίγο δε θ' ακούγονταν ούτε κι αν έβαζαν τις φωνές. Κι όλο δυνάμωνε, και δυνάμωνε, ίδια πάντα, ένας αδιάκοπος ήχος, γλυκός, μόνο που η γλύκα του ήταν τρομερή, κι όλος ο αέρας στη μεγάλη αίθουσα άρχισε να βουίζει, κι ένιωσαν το πέτρινο πάτωμα να τρέμει κάτω απ' τα πόδια τους. Κι ο ήχος άρχισε να σμίγει μ' έναν άλλο, έναν αόριστο θόρυβο χαλασμού, πρώτα σαν το μουγκρητό του τρένου που περνάει μακριά, κι έπειτα σαν δέντρο, πελώριο, που γκρεμίζεται. Άκουσαν κάτι πολύ βαρύ που έπεφτε, κι άξαφνα, ορμητικό σαν κεραυνός, μ' ένα τράνταγμα που κόντεψε να τους ρίξει κάτω, το ένα τέταρτο της στέγης σωριάστηκε στην άλλη άκρη της αίθουσας, πέτρες τεράστιες κατρακύλησαν, κι οι τοίχοι πήγαν κι ήρθαν. Ο ήχος της καμπάνας σταμάτησε. Τα σύννεφα της σκόνης κατακάθισαν. Όλα ησύχασαν και πάλι.

Ποτέ δεν έμαθαν τα παιδιά αν η στέγη έπεσε απ' τα μάγια, ή απ' τον ανυπόφορο ήχο της καμπάνας, που δεν τον άντεξαν οι ερειπωμένοι τοίχοι.

«Περίφημα! Ελπίζω να φχαριστήθηκες τώρα!» είπε η Πόλυ κοντανασαίνοντας.

«Ό,τι κι αν ήταν, πάει πια» είπε ο Ντίγκορυ.

Έτσι νόμιζαν. Και ποτέ στη ζωή τους δεν έπεφταν περισσότερο έξω.

Η μοιραία λέξη

Τα παιδιά κοιτάζονταν, κι ανάμεσά τους, πάνω στην κολόνα, κρεμότανε το καμπανάκι κι ακόμα σάλευε, χωρίς να βγάζει ήχο. Άξαφνα, στην άλλη άκρη της αίθουσας, που είχε μείνει άθικτη, κάτι ακούστηκε, ένας απαλός θόρυβος. Σαν αστραπή, γύρισαν και τα δυο να δουν τι τρέχει. Από το τέλος της σειράς, μια απ' τις καθιστές φιγούρες – εκείνη η γυναίκα που άρεσε τόσο πολύ του Ντίγκορυ – σηκωνόταν απ' το θρόνο της. Και τώρα που την έβλεπαν όρθια, τα παιδιά κατάλαβαν πως ήταν ακόμα πιο ψηλή απ'· όσο νόμιζαν στην αρχή. Το 'βλεπες με την πρώτη ματιά πως είναι μεγάλη βασίλισσα, όχι μόνο απ' την κορόνα και το φόρεμά της, αλλά κι από τη λάμψη των ματιών και την καμπύλη των χειλιών της. Η γυναίκα κοίταξε γύρω γύρω την αίθουσα, είδε το χαλασμό που είχε γίνει, είδε και τα παιδιά, αλλά από την έχφρασή της δε θα μπορούσες να μαντέψεις ούτε τι σκέφτηκε ούτε αν ξαφνιάστηκε. Γρήγορα γρήγορα, πλησίασε την Πόλη και τον Ντίγκορυ με μεγάλα βήματα.

«Ποιος με ξύπνησε; Ποιος έλυσε τα μάγια;» ρώτησε.

«Μάλλον εγώ» είπε ο Ντίγκορυ.

«Εσύ!» είπε η Βασίλισσα, κι ακούμπησε στον ώμο του το χέρι της, που ήταν ωραίο και κατάλευκο, αλλά ο Ντίγκορυ το 'νιωσε δυνατό σαν τανάλια. «Εσύ; Ένα παιδί; Ένα κοινό παιδί! Φαίνεται αμέσως πως δεν έχεις αίμα βασιλικό στις φλέβες σου – ούτε καν ευγενικό. Και πώς τόλμησε να πατήσει σ' αυτό το σπίτι ένα παιδί;»

«Ήρθαμε από άλλο κόσμο. Με μάγια!» πετάχτηκε

61

στη μέση η Πόλυ, γιατί σκέφτηκε πως ώρα ήταν να την προσέξει κι αυτήν λιγάκι η Βασίλισσα – όχι όλο τον Ντίγκορυ.

«Αλήθεια λέει;» ρώτησε η Βασίλισσα. Κοιτούσε πάντα τον Ντίγκορυ, και στην Πόλυ δεν καταδέχτηκε να ρίξει ούτε ματιά.

«Αλήθεια» είπε το παιδί.

Η Βασίλισσα τον έπιασε με τ' άλλο της χέρι από το σαγόνι, και του ανασήκωσε το κεφάλι για να τον δει καλύτερα. Ο Ντίγκορυ δοκίμασε να την κοιτάξει κατάματα. Δεν το άντεξε για πολύ. Η Βασίλισσα είχε κάτι που τον καθήλωνε. Τον κοίταξε πολύ προσεχτικά, κι έπειτα του άφησε το σαγόνι και είπε:

«Μάγος δεν είσαι. Δεν έχεις το Σημάδι. Πρέπει να είσαι υπηρέτης κάποιου μάγου. Έφτασες ως εδώ με ξένα μάγια».

«Τα μάγια του θείου μου του Ανδρέα» είπε ο Ντίγκορυ.

Εκείνη ακριβώς την ώρα, ξέσπασε μια τρομερή βουή, μα όχι απ' την αίθουσα· ερχόταν από κάπου κοντά, κι έπειτα κάτι άρχιζε να τρίζει και πέτρες γκρεμίζονταν μουγκρίζοντας, και το πάτωμα έτρεμε ολόκληρο.

«Εδώ μέσα κινδυνεύουμε» είπε η Βασίλισσα. «Το παλάτι πέφτει, κι αν δε φύγουμε γρήγορα, θα μας σκεπάσουν τα χαλάσματα». Το είπε τόσο ήρεμα, σαν να τους έλεγε τι ώρα είναι. «Πάμε» πρόσθεσε, κι άπλωσε τα χέρια της στα παιδιά. Η Πόλυ είχε κατσουφιάσει, γιατί η Βασίλισσα τής καθόταν στο στομάχι, κι αν ήταν δυνατό δε θα της έδινε το χέρι της. Μα η Βασίλισσα, που είχε μιλήσει τόσο ήρεμα, ήταν γρήγορη σαν τη σκέψη. Κι έτσι η Πόλυ, πριν καλοκαταλάβει τι τρέχει, ένιωσε το αριστερό της χέρι πια-

σμένο σ' ένα άλλο χέρι, πολύ μεγάλο και δυνατό, και τώρα πια δεν μπορούσε να κάνει τίποτα.

«Απαίσια γυναίκα!» σκέφτηκε η Πόλυ. «Τι δυνατή που είναι!» Μπορεί να μου στρίψει το χέρι και να μου το σπάσει. Κι όπως μου κρατάει το αριστερό, δε γίνεται να πιάσω το κίτρινο δαχτυλίδι. Αν δοκίμαζα, λέει, ν' απλώσω το δεξί μου χέρι και να το βάλω στην αριστερή τσέπη, μπορεί και να 'πιανα το δαχτυλίδι πριν προλάβει να με ρωτήσει τι κάνω εκεί. Πάντως, ό,τι και να γίνει, δεν πρέπει να της πούμε λέξη για τα δαχτυλίδια. Φαντάζομαι να του κόψει του Ντίγκορυ και να κρατήσει το στόμα του. Αχ, να μπορούσα να τον ξεμοναχιάσω και να του μιλήσω!»

Η Βασίλισσα τους έβγαλε από την Αίθουσα των Ειδώλων, πέρασαν ένα μακρύ διάδρομο κι έπειτα έναν ολόκληρο λαβύρινθο από αίθουσες και σκάλες και αυλές. Και κάθε λίγο άκουγαν ένα κομμάτι του μεγάλου παλατιού που γκρεμιζόταν, καμιά φορά πολύ κοντά τους. Πελώριες καμάρες σωριάζονταν πίσω τους σαν κεραυνοί. Η Βασίλισσα προχωρούσε γρήγορα – τα παιδιά ήταν υποχρεωμένα να τρέχουν για να την προφτάσουν – μα δεν έδειχνε καθόλου φοβισμένη. «Υπέροχη είναι!» σκέφτηκε ο Ντίγκορυ. «Και τι δυνατή! Και γενναία! Αυτό θα πει βασίλισσα. Μακάρι να μας έλεγε την ιστορία αυτού του τόπου».

Τους είπε, βέβαια, μερικά πράγματα στο δρόμο. «Αυτή η πόρτα βγάζει στα μπουντρούμια», ή «Από κείνο το διάδρομο πήγαιναν στις αίθουσες βασανιστηρίων», ή «Αυτή εδώ ήταν, παλιά, η αίθουσα χορού. Σε μια γιορτή, ο προπάππος μου κάλεσε εφτακόσιους ευγενείς, και πριν προλάβουν να χορτάσουνε κρασί τους σκότωσε. Όλους! Κάποια επανάσταση ετοίμαζαν».

Με τα πολλά, έφτασαν σε μια αίθουσα πιο μεγάλη και ψηλοτάβανη απ' όσες είχαν δει ως τώρα. Κι ήταν τόσο μεγάλη, κι οι πόρτες της τόσο πελώριες, που ο Ντίγκορυ σκέφτηκε ότι, επιτέλους, είχαν φτάσει στην έξοδο. Και μάντεψε σωστά. Οι πόρτες ήταν μαύρες σαν το θάνατο, φτιαγμένες ίσως από έβενο, ή κάποιο άλλο μαύρο μέταλλο που δεν υπάρχει στο δικό μας κόσμο. Τις έφραζαν πελώριες αμπάρες, στηριγμένες ψηλά, να μην τις φτάνει κανένας, και φαίνονταν βαριές και ασήκωτες. Ο Ντίγκορυ αναρωτήθηκε πώς θα κατάφερναν να βγουν.

Η Βασίλισσα τον άφησε, και σήκωσε το χέρι ψηλά. Στάθηκε πελώρια κι ασάλευτη, με το κορμί στητό. Κι άξαφνα, είπε δυο λέξεις (που δεν τις κατάλαβαν, αλ-

65

λά τους φάνηκαν τρομερές), κι έκανε μια κίνηση, σαν να ρίχνει κάτι πάνω στην πόρτα. Και η βαριά θεόρατη πόρτα τρεμούλιασε ολόκληρη, λες κι ήταν από ύφασμα μεταξωτό, κι έπειτα σωριάστηκε θρύψαλα. Πάνω στο κατώφλι έμεινε μόνο ένας σωρός σκόνη.

«Πόπο!» έκανε ο Ντίγκορυ.

«Δε μου λες, το αφεντικό σου, αυτός ο θείος σου ο μάγος, έχει τέτοια δύναμη;» ρώτησε η Βασίλισσα και του ξανάπιασε σφιχτά το χέρι. «Άσε, καλύτερα. Όταν έρθει η ώρα του, θα το μάθω. Κι ως τότε, μην ξεχνάς αυτό που είδες. Η ίδια τύχη περιμένει ό,τι και όποιον μου σταθεί εμπόδιο».

Από την είσοδο που έχασκε έμπαινε φως δυνατό – τόσο φως δεν είχαν δει ως εκείνη τη στιγμή τα παιδιά σ' αυτή την αλλόκοτη χώρα – κι όταν η Βασίλισσα τα οδήγησε έξω, δεν τους φάνηκε διόλου παράξενο που βρίσκονταν επιτέλους στο ύπαιθρο. Ο άνεμος που τους χτύπησε στο πρόσωπο ήταν παγερός και μύριζε κλεισούρα. Στέκονταν σ' έναν ψηλό εξώστη, κι από κάτω απλωνόταν το επιβλητικό τοπίο.

Χαμηλά στον ορίζοντα κρεμόταν ένας κόκκινος ήλιος, πιο μεγάλος από το δικό μας. Αμέσως ο Ντίγκορυ κατάλαβε πως ήταν και πιο γερασμένος: ένας ήλιος που κόντευε στο τέλος της ζωής του, που είχε αποκάμει να φωτίζει τον κόσμο. Στ' αριστερά αυτού του ήλιου, μα ψηλότερα, είχε ένα αστέρι πελώριο και λαμπερό. Πέρα απ' αυτά τα δυο, που ήταν τόσο παράταιρα, τίποτ' άλλο δεν έβλεπες στο σκοτεινό ουρανό. Στη γη, απ' όλες τις μεριές κι ως εκεί που έφτανε το μάτι, απλωνόταν μια απέραντη πολιτεία που δεν είχε τίποτα ζωντανό. Κι όλοι οι ναοί, και τα κάστρα και τα παλάτια, κι οι πυραμίδες και τα γεφύρια, έριχναν ίσκιους μακριούς, ολέθριους, στο φως του μαραμένου ήλιου. Άλλοτε ένα μεγάλο ποτάμι κυλούσε μέσ' από την πολιτεία. Το νερό είχε στερέψει από καιρό, και τώρα έβλεπες μόνο ένα βαθύ χαντάκι όλο σταχτιές σκόνες.

«Κοιτάξτε καλά, γιατί κανένα μάτι δε θα ξαναδεί αυτό που βλέπετε» είπε η Βασίλισσα. «Έτσι ήταν η Τσάρνη, η πόλη η μεγάλη, η πόλη του Βασιλιά των Βασιλέων, το θαύμα του κόσμου, ίσως κι όλων των κόσμων. Εσένα ο θείος σου, παιδί μου, κυβερνάει τόσο μεγάλη πόλη;»

«Όχι» είπε ο Ντίγκορυ. Ήθελε να της εξηγήσει πως ο Θείος Ανδρέας δεν κυβερνούσε καμιά πολιτεία, μα η Βασίλισσα τον έκοψε:

«Τώρα βουβάθηκε. Κι όμως, στο ίδιο σημείο στεκόμουν όταν ο αέρας ξεχείλιζε απ' τον αχό της Τσάρνης· ποδοβολητά, τροχοί που έτριζαν, μαστίγια που κροτάλιζαν, δούλοι που βόγκαγαν, άρματα που βροντούσαν σαν αστροπελέκια, και στους ναούς κροτούσαν τα τύμπανα της θυσίας. Κι ήμουν εδώ (τότε που ζύγωνε το τέλος), όταν το μουγκρητό της μάχης ανέβαινε από κάθε δρόμο κι ο ποταμός της Τσάρνης κυλούσε κατακόκκινος». Σταμάτησε για λίγο, και πρόσθεσε: «Κι έφτασε μια στιγμή, και μια γυναίκα μόνο, να τη σβήσει για πάντα».

«Ποια γυναίκα;» ρώτησε σιγανά ο Ντίγκορυ· είχε μαντέψει την απάντηση.

«Εγώ» είπε η Βασίλισσα. «Εγώ, η Τζάντις, Έσχατη των Βασιλισσών, Κυρά της Οικουμένης».

Τα δυο παιδιά δε μίλησαν, μόνο έτρεμαν μέσα στον κρύο άνεμο.

«Η αδερφή μου έφταιγε» είπε η Βασίλισσα. «Αυτή με ανάγκασε. Ας πέσει στους αιώνες των αιώνων πάνω στο κεφάλι της η κατάρα όλων των Δυνάμεων!

67

Εγώ ήμουν έτοιμη να κλείσω ειρήνη – ναι, και να της χαρίσω τη ζωή, φτάνει να μου 'δινε το θρόνο. Δεν ήθελε ν' ακούσει τίποτα. Αφάνισε όλο τον κόσμο με την περηφάνια της. Όταν κηρύχτηκε ο πόλεμος, κλείσαμε επίσημη συμφωνία πως καμιά παράταξη δε θα χρησιμοποιήσει μάγια. Αλλά εκείνη έσπασε τη συμφωνία – κι εγώ, τι να 'κανα; Την ηλίθια! Λες και δεν το 'ξερε πως τα δικά μου μάγια ήταν πιο δυνατά απ' τα δικά της! Το 'ξερε πως εγώ κρατούσα το μυστικό της Μοιραίας Λέξης. Τέτοια επιπόλαιη που ήταν πάντα, μπορεί και να φαντάστηκε πως δε θα το χρησιμοποιήσω».

«Τι λέξη είναι;» ρώτησε ο Ντίγκορυ.

«Είναι το μυστικό των μυστικών» απάντησε η Βασίλισσα Τζάντις. «Το γνώριζαν από παλιά όλοι οι μεγάλοι βασιλιάδες της φυλής μας. Είναι μια λέξη που, αν την προφέρεις σε μια κατάλληλη τελετή, καταστρέφει όλα τα ζωντανά πλάσματα, εκτός από το πλάσμα που την πρόφερε. Όμως οι αρχαίοι βασιλιάδες ήταν άτολμοι, λιγόψυχοι. Δέθηκαν με όρκους φοβερούς, κι αυτοί και οι διάδοχοί τους, πως δε θα γυρέψουν ποτέ να μάθουν τη λέξη. Εγώ την έμαθα. Σε έναν τόπο κρυφό. Και για να τη μάθω, πλήρωσα τρομερό τίμημα. Δεν τη χρησιμοποίησα, παρά μόνο όταν μ' ανάγκασε εκείνη. Πάλεψα σκληρά να τη νικήσω με άλλους τρόπους. Σαν το νερό χύθηκε το αίμα του στρατού μου –»

«Το τέρας!» μουρμούρισε η Πόλυ.

«Τρεις μέρες μαινόταν η μεγάλη μάχη» συνέχισε η Βασίλισσα. «Η τελευταία μάχη. Εδώ, μέσα στην Τσάρνη. Τρεις μέρες την παρακολούθησα από ψηλά, απ' αυτό το σημείο. Και τη δύναμή μου τη χρησιμοποίησα μόνο όταν έπεσε κι ο τελευταίος στρατιώτης

μου, κι η καταραμένη η αδερφή μου, με τους επανα-
στάτες πίσω της, βρισκόταν στα μισά της μεγάλης
σκάλας που ανεβαίνει από την πόλη στον εξώστη.
Περίμενα πρώτα να πλησιάσουν αρκετά. Ήθελα να
με βλέπει και να τη βλέπω καλά. Άστραψαν διαβολι-
κά τα τρομερά της μάτια όταν μ' αντίκρισε, και είπε:
"Νίκη!" "Νίκη" της λέω κι εγώ, "αλλά όχι δικιά
σου!" Και πάνω σ' αυτό, ξεστόμισα τη Μοιραία Λέ-
ξη. Την ίδια στιγμή, ήμουν το μόνο ζωντανό πλάσμα
κάτω απ' τον ήλιο».

«Κι ο λαός;» είπε ο Ντίγκορυ με μισό στόμα.

«Ποιος λαός, μικρέ μου;»

«Ο κόσμος, οι απλοί άνθρωποι που δε σου 'φται-
ξαν τίποτα» πετάχτηκε η Πόλυ. «Τα γυναικόπαιδα,
τα ζώα».

«Μα δεν καταλαβαίνεις;» είπε η Βασίλισσα (πάντα
στον Ντίγκορυ). «Ήμουν Βασίλισσα κι ήταν λαός
μου. Γι' αυτό τους είχα. Για να εκτελούν το θέλημά
μου».

«Πάντως ήταν σκληρή μοίρα για όλους τους» είπε
ο Ντίγκορυ.

«Το ξέχασα πως είσαι κοινό παιδί. Τι να καταλά-
βεις από κρατικές υποθέσεις; Μάθε λοιπόν, μικρέ
μου, πως μια πράξη άδικη για σένα ή για τους
απλούς ανθρώπους, δεν είναι διόλου άδικη για μια
μεγάλη Βασίλισσα σαν και μένα. Εγώ σηκώνω στους
ώμους μου το βάρος του κόσμου, και κανένας νόμος
δε με σταματάει. Η μοίρα μου είναι ένδοξη και μονα-
χική».

Τότε ο Ντίγκορυ θυμήθηκε πως τις ίδιες λέξεις,
ακριβώς, είχε πει κι ο Θείος Ανδρέας. Μόνο που τώ-
ρα, στο στόμα της Βασίλισσας Τζάντις, ηχούσαν επι-
βλητικά. Εμ βέβαια, ο Θείος Ανδρέας δεν είχε δυό-

μισι μέτρα μπόι; ούτε εκτυφλωτική ομορφιά.

«Κι έπειτα;» ρώτησε ο Ντίγκορυ.

«Είχα μαγέψει από πριν την αίθουσα όπου κάθονται τα είδωλα των προγόνων μου. Και τα μάγια όριζαν να κοιμηθώ κι εγώ εκεί, μαζί τους, σαν είδωλο, να μη χρειαστώ τροφή και φωτιά, έστω και χίλια χρόνια, ώσπου να 'ρθει αυτός που θα σημάνει την καμπάνα και θα με ξυπνήσει».

«Κι ο ήλιος; Από τη Μοιραία Λέξη έγινε έτσι;» είπε ο Ντίγκορυ.

«Πώς έτσι;»

«Να, έτσι μεγάλος, κόκκινος και κρύος».

«Πάντα ίδιος ήταν» είπε η Τζάντις. «Χιλιάδες χρόνια τώρα. Εσάς ο ήλιος σας είναι αλλιώτικος;»

«Είναι μικρότερος και κίτρινος. Και πολύ πιο ζεστός».

«Αααα!» έκανε η Βασίλισσα, κι ο Ντίγκορυ την είδε να παίρνει την ίδια πεινασμένη και άπληστη έκφραση που είχε δει, λίγο πριν, στο πρόσωπο του Θείου Ανδρέα. «Ώστε ο κόσμος σας είναι νεότερος» είπε.

Στάθηκε μια στιγμή, ξανακοίταξε την έρημη πολιτεία, κι αν λυπήθηκε για το κακό που είχε κάνει, σίγουρα δεν έδειξε τίποτα. Έπειτα είπε:

«Πάμε τώρα. Κάνει κρύο εδώ – εδώ πάνω που τελειώνουν όλοι οι αιώνες».

«Να πάμε πού;» ρώτησαν και τα δυο παιδιά μαζί.

«Τι πού;» απόρησε η Τζάντις. «Στον κόσμο σας, φυσικά!»

Η Πόλυ κι ο Ντίγκορυ κοιτάχτηκαν έντρομοι. Από την πρώτη στιγμή, η Πόλυ δεν την είχε χωνέψει τη Βασίλισσα· όμως και ο Ντίγκορυ, τώρα που άκουσε την ιστορία, δεν ήθελε ούτε να τη δει στα μάτια του.

Και βέβαια, τέτοιο πλάσμα δε θα 'θελες ποτέ να το έχεις στον τόπο σου ή στο σπίτι σου. Άσε που, και να το ήθελες, πάλι δε γινόταν. Τα παιδιά ένα λαχταρούσαν μόνο: να φύγουν. Ωστόσο, η Πόλυ δεν μπορούσε να πιάσει το δαχτυλίδι της, κι ο Ντίγκορυ δε θα 'φευγε βέβαια χωρίς αυτήν. Ο Ντίγκορυ αναψοκοκκίνισε κι άρχισε να τραυλίζει.

«Ο – ο – ο κόσμος μας δε – Δεν το 'ξερα πως θα θέλατε να 'ρθείτε».

«Και τότε γιατί σας έστειλαν εδώ, αν όχι για να με πάρετε;» ρώτησε η Τζάντις.

«Είμαι σίγουρος πως ο κόσμος μας δε θα σας αρέσει καθόλου» είπε ο Ντίγκορυ. «Μάλλον δε θα της ταιριάζει – ε, Πόλυ; Είναι βαρετός. Και δεν έχει τίποτα αξιοθέατο».

«Σε λίγο θα 'χει, όταν τον κυβερνάω εγώ» απάντησε η Βασίλισσα.

«Α, δε γίνεται!» είπε ο Ντίγκορυ. «Αυτό αποκλείεται. Δεν πρόκειται να σας αφήσουν».

Η Βασίλισσα χαμογέλασε περιφρονητικά. «Πολλοί βασιλιάδες πίστεψαν πως μπορούν ν' αντισταθούν στον Οίκο της Τσάρνης» είπε. «Κι όλοι τους έπεσαν. Τα ονόματά τους λησμονήθηκαν. Ανόητο παιδί! Θαρρείς πως με την ομορφιά μου και τα μάγια μου δε θα 'χω στα πόδια μου ολόκληρο τον κόσμο σου πριν περάσει ένας χρόνος; Άντε, πες το μαγικό σου ξόρκι να φύγουμε».

Ο Ντίγκορυ γύρισε στην Πόλυ: «Είναι τρομερό!»

«Μη φοβάσαι για το θείο σου» είπε η Τζάντις. «Αν με τιμήσει όπως πρέπει, δε θα χάσει ούτε τη ζωή του ούτε το θρόνο του. Αυτόν ειδικά, δε θα τον πολεμήσω. Πάντως, πρέπει να 'ναι σπουδαίος μάγος, αφού βρήκε τρόπο να σας στείλει στην Τσάρνη. Και δε μου

71

λες, σε ποια χώρα βασιλεύει; Σ' όλο τον κόσμο, ή σε έναν τόπο μόνο;»

«Δεν είναι βασιλιάς» είπε ο Ντίγκορυ.

«Λες ψέματα!» αγρίεψε η Βασίλισσα. «Πάντα η μαγεία πάει μαζί με το βασιλικό αίμα. Πού ξανακούστηκε, κοινός θνητός και μάγος; Εγώ ξέρω την αλήθεια, και συ λέγε ό,τι θες. Ο θείος σου είναι ο Μεγάλος Βασιλιάς και Μάγος του κόσμου σας. Με την τέχνη του κατάφερε να δει το είδωλό μου σε κάποιο μαγικό καθρέφτη – ή και σε καμιά λίμνη· σίγουρα ξετρελάθηκε με την ομορφιά μου, κι έκανε κάτι μάγια τόσο δυνατά, που τράνταξαν συθέμελα τον κόσμο σας και σας πέρασαν απ' το απέραντο χάσμα που χωρίζει τους δυο κόσμους, για να με προσκυνήσετε και να με πάτε κοντά του. Απάντησέ μου: έτσι δεν έγινε;»

«Μμμμ... Όχι ακριβώς» είπε ο Ντίγκορυ.

«Καλέ, τι μας λες!» φώναξε η Πόλυ. «Μπούρδες είναι όλ' αυτά που είπες. Μπούρδες, απ' την αρχή ως το τέλος!»

«Σκουλήκι!» ούρλιαξε η Βασίλισσα, και μανιασμένη γύρισε κι άρπαξε την Πόλυ απ' τα μαλλιά, εκεί στην κορφή του κεφαλιού, που πονάει πολύ. Και πάνω στο θυμό της άφησε τα χέρια των παιδιών. «Τώρα!» φώναξε ο Ντίγκορυ. «Βιάσου!» φώναξε η Πόλυ. Έχωσαν το αριστερό τους χέρι στην τσέπη, και δε χρειάστηκε καθόλου να φορέσουν τα δαχτυλίδια. Γιατί, μόλις τ' άγγιξαν, ο απαίσιος εκείνος κόσμος χάθηκε απ' τα μάτια τους. Τώρα ανέβαιναν ορμητικά προς τα πάνω, και κάπου ψηλά ένα ζεστό πράσινο φως όλο και δυνάμωνε.

ΚΕΦΑΛΑΙΟ ΕΚΤΟ

Πώς άρχισαν οι μπελάδες του Θείου Ανδρέα

«Άφησέ με! Άφησέ με!» τσίριζε η Πόλυ.

«Μα εγώ δε σ' άγγιξα» είπε ο Ντίγκορυ.

Και τότε τα κεφάλια τους ξεπρόβαλαν απ' τη λιμνούλα, και πάλι τους τύλιξε η γαλήνια λιακάδα του Δάσους Ανάμεσα Στους Κόσμους – μόνο που τώρα το δάσος φαινόταν πιο πλούσιο, πιο ζεστό και σιωπηλό από πριν, μετά την κλεισούρα και τα ερείπια του άλλου τόπου. Νομίζω μάλιστα πως, αν τους δινόταν η ευκαιρία, θα ξαναλησμονούσαν ποιοι είναι και πούθε έρχονται. Θα ξάπλωναν στα χόρτα να ξεκουραστούν, και θα λαγοκοιμόντουσαν ακούγοντας τα δέντρα να μεγαλώνουν. Τώρα όμως είχαν κάτι που δεν τους άφησε καιρό για ύπνο: μόλις πάτησαν το πόδι τους στα χόρτα, ανακάλυψαν πως δεν είναι μόνοι. Η Βασίλισσα (ή Μάγισσα, όπως και να την πούμε το ίδιο κάνει) είχε βγει κι αυτή μαζί τους, αρπαγμένη γερά απ' τα μαλλιά της Πόλυ. Να γιατί φώναζε η καημένη εκείνο το «Άφησέ με!»

Κι έτσι αποδείχτηκε μια ακόμα δύναμη των δαχτυλιδιών, που ο Θείος Ανδρέας δεν την είχε πει στον Ντίγκορυ, γιατί βέβαια ούτε κι ο ίδιος τη γνώριζε. Για να περάσεις από κόσμο σε κόσμο μ' ένα τέτοιο δαχτυλίδι, δεν ήταν ανάγκη να το φοράς ή να τ' αγγίζεις. Έφτανε ν' αγγίξεις όποιον τ' άγγιζε. Ήταν δηλαδή κάτι σαν μαγνήτης. Και όλοι ξέρουμε πως, όταν κολλήσει μια καρφίτσα στο μαγνήτη, παρασέρνει κι όσες καρφίτσες την αγγίξουν.

Τώρα που την έβλεπαν μέσα στο δάσος, η Βασίλισσα Τζάντις τους φάνηκε αλλιώτικη. Πιο χλομή από πρώτα, τόσο χλομή, που απ' την ομορφιά της τίποτα σχεδόν δεν απόμενε. Καμπούριασε κι αγκομαχούσε για να πάρει ανάσα, λες και την έπνιγε ο αέρας του δάσους. Τώρα πια τα παιδιά δε τη φοβήθηκαν.

«Άσε με κάτω!» είπε η Πόλυ. «Μη μου τραβάς τα μαλλιά! Ορίστε μας!»

«Δεν ακούς; Να της αφήσεις τα μαλλιά της, αμέσως!» είπε ο Ντίγκορυ.

Άρχισαν κι οι δυο να παλεύουν με τη Βασίλισσα, κι αποδείχτηκαν πιο δυνατοί: μέσα σε δευτερόλεπτα την ανάγκασαν ν' αφήσει τα μαλλιά της Πόλυ. Η Βασίλισσα έκανε ένα βήμα πίσω, λαχανιασμένη, με τα μάτια γεμάτα τρόμο.

«Ντίγκορυ, γρήγορα!» είπε η Πόλυ. «Ν' αλλάξουμε δαχτυλίδια και να πηδήξουμε στη λίμνη μας».

«Βοήθεια! Βοήθεια! Έλεος!» φώναξε πνιχτά η Μάγισσα και τους ακολούθησε παραπατώντας. «Πάρτε με μαζί σας. Δε γίνεται να μ' αφήσετε σ' αυτό τον απαίσιο τόπο. Θα πεθάνω!»

«Είναι κρατική υπόθεση» είπε πεισμωμένα η Πόλυ.

«Όπως τότε που ξεκλήρισες το λαό σου, στο δικό σου κόσμο. Βιάσου, Ντίγκορυ!»

Έβαλαν τα πράσινα δαχτυλίδια, και τότε ο Ντίγκορυ κοντοστάθηκε:

«Τόμπολα! Τι κάνουμε τώρα;» Χωρίς να το θέλει, τη λυπόταν λιγάκι τη Βασίλισσα.

«Μην είσαι βλάκας» είπε η Πόλυ. «Ό,τι στοίχημα πας, πως το κάνει επίτηδες. Άντε, ντε!» Και τα παιδιά πήδηξαν στη λίμνη του γυρισμού. «Καλά που βάλαμε σημάδι» σκέφτηκε η Πόλυ. Μα ο Ντίγκορυ, την ώρα που έδιναν το σάλτο, ένιωσε δυο μεγάλα παγωμένα δάχτυλα να τον πιάνουν απ' το αυτί. Κι όσο βούλιαζαν, κι άρχιζαν να φαίνονται μπερδεμένα τα σχήματα του δικού μας κόσμου, τα δάχτυλα τον έσφιγγαν πιο δυνατά. Η Μάγισσα ξανάβρισκε τη δύναμή της. Πάλευε και κλοτσούσε ο Ντίγκορυ – μα του κάκου. Κι άξαφνα, βρέθηκαν στο γραφείο της σοφίτας, κι είδαν το Θείο Ανδρέα να κοιτάζει με γουρλωμένα μάτια αυτό το υπέροχο πλάσμα που κουβαλούσε ο Ντίγκορυ από τον τόπο πέρα από τον κόσμο.

Και πώς να μην το κοιτάζει; Ως και τα παιδιά γούρλωσαν τα μάτια τους. Η Μάγισσα είχε συνέρθει για τα καλά απ' τη λιγοψυχιά της· και τώρα που την έβλεπαν στον κόσμο μας, τριγυρισμένη από συνηθισμένα πράγματα, τους κοβόταν η ανάσα. Δε λέω, ήταν τρομακτική και στην Τσάρνη – αλλά μέσα στο Λονδίνο σου πάγωνε το αίμα. Πρώτον και κύριον, τα παιδιά δεν είχαν καταλάβει πόσο ψηλή είναι. «Αυτή δε μοιάζει με άνθρωπο» είχε σκεφτεί ο Ντίγκορυ όταν την πρωτοκοίταξε. Και μπορεί να 'χε δίκιο, γιατί όπως λένε, η βασιλική οικογένεια της Τσάρνης είχε στις φλέβες της αίμα γιγάντων. Όμως το ύψος δεν ήταν τίποτα μπροστά στην ομορφιά, στην αγριάδα

75

και τη μανία της. Έμοιαζε δέκα φορές πιο ζωντανή από τους περισσότερους ανθρώπους που βλέπεις στο Λονδίνο. Ο Θείος Ανδρέας είχε διπλωθεί στα δύο κι έτριβε τα χέρια του. Για να λέμε την αλήθεια, ήταν τρομοκρατημένος. Χώρια που φαινόταν μια σταλιά μπροστά στη Μάγισσα! Κι ωστόσο – έτσι είπε αργότερα η Πόλυ – *έμοιαζε* λίγο με τη Μάγισσα: είχαν κι οι δυο την ίδια έκφραση. Την έκφραση όλων των κακών μάγων, το «Σημάδι» που έψαχνε να βρει η Τζάντις στο πρόσωπο του Ντίγκορυ. Το καλό, άμα τους έβλεπες και τους δυο μαζί, ήταν πως δε φοβόσουν πια το Θείο Ανδρέα – όπως δε φοβάσαι τα σκουλήκια όταν έχεις δει κροταλία, ή την αγελάδα όταν έχει βρεθεί μπροστά σου μανιασμένος ταύρος.

«Πουφ!» σκέφτηκε ο Ντίγκορυ. «Μάγος να σου πετύχει! Σιγά! Αν πεις για τη Βασίλισσα, αυτή μάλιστα!»

Ο Θείος Ανδρέας όλο έτριβε τα χέρια του κι υποκλινόταν. Πάλευε να πει κάτι πολύ, μα πολύ ευγενικό, αλλά το στόμα του είχε στεγνώσει και δεν μπορούσε να μιλήσει. Το «πείραμα των δαχτυλιδιών» – έτσι το 'λεγε – είχε πετύχει πολύ περισσότερο απ' ό,τι σχεδίαζε: γιατί ο Θείος Ανδρέας, χρόνια τώρα, έκανε τα μαγικά του, μα (όσο περνούσε απ' το χέρι του) άφηνε τους κινδύνους για τους άλλους. Λοιπόν, τέτοιο πράγμα δεν του 'χε ξανατύχει.

Και τότε η Τζάντις μίλησε. Η φωνή της δεν ήταν δυνατή – κι ωστόσο, είχε κάτι που έκανε όλη την κάμαρα να τρέμει.

«Πού είναι ο μάγος που με κάλεσε σ' αυτό τον κόσμο;»

«Κυ – Κυ – Κυρία μου» πήγε να καταπιεί τη γλώσσα του ο Θείος Ανδρέας. «Μεγάλη μου τιμή – μου κάνετε μεγάλη χάρη – μου δίνετε τόσο απροσδόκητη ευχαρίστηση – αλλά δεν είχα την ευκαιρία να προετοιμαστώ αναλόγως – και – και –»

«Πού είναι ο μάγος, βλάκα;» είπε η Τζάντις.

«Ο – ολόκληρος, Κυρία μου. Ελπίζω να συγχωρήσετε – τις – τις τυχόν αυθάδειες αυτών των άταχτων παιδιών. Σας διαβεβαιώ πως δεν υπήρξε πρόθεση –»

«Εσύ;» έκανε η Βασίλισσα, κι η φωνή της αντήχησε ακόμα πιο τρομερή. Κι έπειτα, με μια δρασκελιά, βρέθηκε στην άλλη άκρη της κάμαρας, χούφτωσε το γκρίζο τσουλούφι του Θείου Ανδρέα, και του γύρισε πίσω το κεφάλι για να δει το πρόσωπό του. Τον κοίταξε καλά καλά, όπως πιο πριν τον Ντίγκορυ, στο

παλάτι της Τσάρνης. Ο θείος έγλειφε τα χείλια νευρι-
κά, και τα μάτια του πετάριζαν. Καμιά φορά, η Μά-
γισσα τον άφησε – τόσο απότομα, που ο θείος έπεσε
πίσω και χτύπησε στον τοίχο.

«Κατάλαβα» είπε περιφρονητικά. «Είσαι μάγος.
Περίπου μάγος. Σήκω πάνω, σκύλε! Μη σέρνεσαι κά-
τω, σαν να μιλάς σε ίσους σου! Πού τα 'μαθες εσύ τα
μάγια; Πάντως, βασιλικό αίμα δεν έχεις – παίρνω όρ-
κο».

«Ο – ο – όχι ακριβώς» ψέλλισε ο Θείος Ανδρέας.
«Όχι βασιλικό, για την ακρίβεια, Μεγαλειοτάτη. Οι
Κέτερλυ είναι όμως παλιά οικογένεια. Μια πολύ πα-
λιά οικογένεια του Ντόρσετσαϊρ, Μεγαλειοτάτη».

«Ας είναι» είπε η Μάγισσα. «Κατάλαβα.   ται

κομπογιανίτης, ένας μάγος της δεκάρας που δουλεύει με συνταγές και βιβλία. Δεν έχεις πραγματική μαγεία, ούτε στο αίμα ούτε στην καρδιά σου. Κάτι τέτοιους σαν και σένα, τους ξεκληρίσαμε απ' τον κόσμο μου εδώ και χίλια χρόνια. Εδώ όμως, θα σου επιτρέψω να γίνεις υπηρέτης μου».

«Μεγάλη μου ευχαρίστηση – μεγάλη μου ευτυχία να σας υπηρετώ. Να είσθε βεβαία –»

«Σιωπή! Πολλά λες. Και τώρα, άκου τι πρέπει να κάνεις. Απ' ό,τι βλέπω, βρισκόμαστε σε μεγάλη πόλη. Να μου βρεις αμέσως ένα άρμα, ή κανένα ιπτάμενο χαλί, έστω και γυμνασμένο δράκο – τέλος πάντων, ό,τι συνηθίζουν οι βασιλιάδες και οι ευγενείς στη χώρα σου. Κι έπειτα να με πας σ' ένα μέρος όπου έχει ρούχα και κοσμήματα και σκλάβους που ταιριάζουν στο αξίωμά μου. Αύριο κιόλας αρχίζει η κατάκτηση του κόσμου!»

«Να – να – να πάω να φωνάξω ένα μόνιππο. Αμέσως!» πνίγηκε πάλι ο Θείος Ανδρέας.

«Στάσου!» είπε η Μάγισσα, την ώρα που ο θείος έφτανε στην πόρτα. «Πρόσεξε! Μη διανοηθείς να με προδώσεις. Τα μάτια μου βλέπουν μέσ' απ' τους τοίχους, διαβάζουν τη σκέψη των ανθρώπων. Όπου κι αν πας, θα σ' ακολουθούν. Και με το πρώτο δείγμα ανυπακοής, θα σου κάνω τέτοια μάγια, που μόλις κάθεσαι θα νιώθεις πυρωμένο σίδερο στα πισινά σου, και μόλις ξαπλώνεις θ' ακουμπούν στα πόδια σου αόρατες παγοκολόνες. Και τώρα πήγαινε!»

Και το γεροντάκι βγήκε σαν σκύλος, με την ουρά στα σκέλια.

Τώρα τα παιδιά άρχισαν να φοβούνται. Σίγουρα η Τζάντις θα 'λεγε κάτι γι' αυτό που έγινε στο δάσος. Μα, όπως αποδείχτηκε, δεν είχε διάθεση να το σχο-

79

λιάσει – ούτε τότε, ούτε μετά. Μου φαίνεται (και συμφωνεί και ο Ντίγκορυ), πως το μυαλό της ήταν τέτοιο, που δεν μπορούσε να θυμηθεί εκείνον το γαλήνιο τόπο. Όσες φορές, κι αν την πήγαινες εκεί, όσο καιρό κι αν την άφηνες, ούτε που θα το καταλάβαινε καθόλου. Είχε μείνει πια μόνη με τα παιδιά, όμως δε φάνηκε να τα προσέχει. Ήταν κι αυτό στο φυσικό της. Στην Τσάρνη, ας πούμε, δεν είχε δώσει σημασία στην Πόλυ, γιατί ήθελε να χρησιμοποιήσει τον Ντίγκορυ. Και τώρα που είχε το Θείο Ανδρέα, τον Ντίγκορυ τον αγνόησε. Μάλλον έτσι είναι οι περισσότερες μάγισσες. Τίποτα δεν τις ενδιαφέρει – ούτε άνθρωπος, ούτε πράγμα – εκτός κι αν μπορούν να το χρησιμοποιήσουν. Έχουν τρομερά πρακτικό πνεύ-

μα. Για κάνα δυο λεπτά, λοιπόν, έπεσε σιωπή μέσα στην κάμαρα. Θα 'λεγες όμως πως η Βασίλισσα είχε χάσει την υπομονή της, από τον τρόπο που χτυπούσε το πόδι της στο πάτωμα.

Μίλησε πάλι – πιο πολύ στον εαυτό της: «Μα τι κάνει αυτός ο γερο-ηλίθιος; Έπρεπε να φέρω το μαστίγιο». Και βγήκε ορμητικά για να βρει το Θείο Ανδρέα, χωρίς να ρίξει βλέμμα στα παιδιά.

«Ουφ!» ξεφύσηξε ανακουφισμένη η Πόλυ. «Και τώρα πρέπει να γυρίσω σπίτι. Άργησα τρομερά και θα φάω κατσάδα».

«Τρέχα. Και μόλις μπορέσεις, να 'ρθεις αμέσως» είπε ο Ντίγκορυ. «Είναι φριχτό! Κοτζάμ Μάγισσα, μέσα στο σπίτι! Πρέπει κάτι να σκεφτούμε».

«Τώρα ας τα ξεμπερδέψει ο θείος σου» είπε η Πόλυ. «Σάμπως αυτός δεν ξεκίνησε όλη την ιστορία με τα μαγικά;»

«Κοίτα όμως νά 'ρθεις γρήγορα, ε; Να τα παρατήσεις όλα. Μη μ' αφήσεις μόνο μου, σε τόσο δύσκολη θέση».

«Θα γυρίσω σπίτι από τη σήραγγα» είπε κάπως ψυχρά η Πόλυ. «Για να μην αργήσω. Κι αν θες να ξαναρθώ, καλύτερα να μου ζητήσεις συγνώμη».

«Συγνώμη; Μα τι κορίτσι είσαι συ! Τι σου 'κανα;»

«Τίποτα, βέβαια» τον ειρωνεύτηκε η Πόλυ. «Μόνο που κόντεψες να μου ξεβιδώσεις το χέρι σε κείνη την αίθουσα με τα κέρινα ομοιώματα, ψευτοπαλικαρά! Μόνο που χτύπησες την καμπάνα με το σφυρί, σαν βλάκας. Μόνο που κοντοστάθηκες στο δάσος, για να προλάβει να σε πιάσει η Μάγισσα πριν μπούμε στη λίμνη. Θες κι άλλο;»

«Α!» έκανε ο Ντίγκορυ, πολύ σαστισμένος. «Καλά, εντάξει, να με συγχωρείς. Λυπάμαι ειλικρινά γι' αυτό που έγινε στην αίθουσα με τα κέρινα ομοιώματα. Ορίστε, σου ζήτησα συγνώμη. Και τώρα, αν είσαι εντάξει, θα ξαναρθείς. Την έχω πολύ άσκημα αν δεν έρθεις».

«Εσύ; Εσύ δεν πρόκειται να πάθεις τίποτα. Μόνο ο κύριος Κέτερλυ θα κάθεται σε τσουρουφλιστές καρέκλες, και θα πλαγιάζει σε παγωμένα κρεβάτια».

«Άλλο έλεγα. Εγώ ανησυχώ για τη μητέρα μου. Για φαντάσου να μπει στην κάμαρά της αυτό το πλάσμα! Θα πεθάνει απ' την τρομάρα της».

«Κατάλαβα» είπε η Πόλυ, κι η φωνή της έμοιαζε κάπως αλλαγμένη. «Καλά. Άντε, φίλοι πάλι – κι αν μπορέσω, θα ξαναρθώ. Μα τώρα πρέπει να φύγω». Τρύπωσε απ' την πορτούλα, βγήκε στη σήραγγα, κι εκεί, στα σκοτεινά, μέσα στα δοκάρια, σ' αυτό το μέρος που λίγες ώρες πριν της φαινόταν τόσο συναρπαστικό και γεμάτο περιπέτειες, όλα έμοιαζαν τώρα ήσυχα κι απλά.

Εμείς όμως θα πρέπει να ξαναγυρίσουμε στο Θείο Ανδρέα: Η γέρικη καρδιά του βροντούσε, τικιτάκ τικιτάκ τικιτάκ, η καημένη, καθώς ο θείος κατέβαινε τρέμοντας τις σκάλες της σοφίτας, κι όλο σφούγγιζε το μέτωπο με το μαντίλι του. Κι όταν έφτασε στην κάμαρά του, στο κάτω πάτωμα, τρύπωσε μέσα και κλείδωσε την πόρτα. Πρώτη του δουλειά ήταν να βγάλει απ' την ντουλάπα του μια μπουκάλα κι ένα ποτήρι, που τα 'κρυβε πάντα να μην τ' ανακαλύψει η Θεία Λέτυ. Γέμισε ξέχειλο το ποτήρι μ' ένα αηδιαστικό ποτό που πίνουν οι μεγάλοι, και το κατέβασε μονορούφι. Έπειτα αναστέναξε βαθιά.

«Μα την πίστη μου!» είπε. «Τι ταραχή και τούτη! Μα είναι άνω ποταμών! Και στην ηλικία μου!»

Γέμισε και δεύτερο ποτήρι και το στράγγιξε με τον

82

ίδιο τρόπο. Έπειτα, άρχισε ν' αλλάζει ρούχα. Εσείς δε θα 'χετε δει ποτέ σας τέτοια ρούχα, αλλά εγώ τα θυμάμαι ακόμα. Φόρεσε ένα σκληρό κολάρο, γυαλιστερό και πολύ ψηλό, απ' αυτά που σε κάνουν να κρατάς όλη την ώρα το σαγόνι σηκωμένο. Φόρεσε κάτασπρο γιλέκο, με σχέδια στην ύφανση και του πέρασε τη χρυσή καδένα του ρολογιού του. Φόρεσε και την καλύτερη βελάδα του, που τη φύλαγε μόνο για γάμους και κηδείες. Γυάλισε καλά καλά το ψηλό του καπέλο. Πάνω στη σιφονιέρα είχε ένα βάζο με λουλούδια (που το 'χε βάλει η Θεία Λέτυ)· πήρε λοιπόν κι ένα λουλούδι και το πέρασε στην μπουτονιέρα του. Από το αριστερό συρτάρι έβγαλε καθαρό μαντίλι (ωραίο μαντίλι, απ' αυτά που δε βρίσκεις πια σήμερα), και του 'ριξε μερικές σταγόνες κολόνια. Πήρε και το μονόκλ με τη χοντρή μαύρη κορδέλα και το στερέωσε στο μάτι του. Έπειτα κοιτάχτηκε στον καθρέφτη.

Ανοησίες κάνουν και τα παιδιά, όπως ξέρετε, μα οι ανοησίες των μεγάλων είναι άλλο πράγμα. Εκείνη τη στιγμή ο Θείος Ανδρέας γινόταν ανόητος – μ' έναν τρόπο που τον έχουν μόνο οι μεγάλοι. Τώρα που δε βρισκόταν πια στο ίδιο δωμάτιο με τη Μάγισσα, ξεχνούσε γρήγορα τη λαχτάρα που πέρασε, κι όλο σκεφτόταν την εξαίσια ομορφιά της και παραμιλούσε: «Τι γυναίκα, φίλε μου! Αυτή είναι γυναίκα! Υπέροχο πλάσμα!» Είχε επίσης καταφέρει να λησμονήσει πως το «υπέροχο πλάσμα» το 'χαν πιάσει τα παιδιά, και πίστευε πως αυτός, με τα μαγικά του, το 'χε καλέσει από άγνωστους κόσμους.

«Ανδρέα, αγόρι μου» είπε στον εαυτό του στον καθρέφτη, «κρατάς περίφημα για την ηλικία σου. Έχεις πολύ ωραίο παρουσιαστικό».

Βλέπετε, ο γερο-ανόητος είχε αρχίσει να φαντάζεται πως η Μάγισσα θα τον ερωτευτεί. Δεν ξέρω αν έφταιγαν τα δυο ποτήρια που είχε κατεβάσει – αλλά κάποιο ρόλο έπαιξαν και τα καλά του ρούχα. Είτε έτσι, είτε αλλιώς, ήταν ψωροφαντασμένος σαν παγόνι. Γι' αυτό είχε γίνει και μάγος.

Ξεκλείδωσε την πόρτα, κατέβηκε στο ισόγειο κι έστειλε μια υπηρέτρια να του φωνάξει άμαξα (εκείνα τα χρόνια είχαν πολλούς υπηρέτες). Έπειτα έριξε μια ματιά στην τραπεζαρία και, όπως το περίμενε, βρήκε τη Θεία Λέτυ πολύ απασχολημένη. Μπάλωνε ένα στρώμα, που το 'χε απλώσει στο πάτωμα, κοντά στο παράθυρο, κι ήταν γονατισμένη πάνω του.

«Α, καλή μου Λετίσια!» φώναξε ο Θείος Ανδρέας.

«Πρέπει – πρέπει να βγω για λίγο. Είναι ανάγκη να μου δανείσεις πέντε λίρες. Έλα, μπράβο!»

«Καλέ τι μας λες!» είπε η Θεία Λέτυ, ήρεμα και σταθερά, χωρίς να σηκώσει τα μάτια από το ράψιμό της. «Σου το 'χω πει χίλιες φορές: δε σου ξαναδανείζω λεφτά!»

«Έλα τώρα, χρυσή μου, μη μου τα χαλάς» είπε ο Θείος Ανδρέας. «Πρόκειται για κάτι ιδιαίτερα σημαντικό, και αν δε μου τα δώσεις, θα με φέρεις σε πολύ δύσκολη θέση».

«Ανδρέα!» είπε η Θεία Λέτυ και τον κοίταξε στα μάτια. «Ένα θέλω να ξέρω: δεν ντρέπεσαι να μου ζητάς λεφτά;»

Πίσω απ' τα λόγια της κρυβόταν μια τεράστια και ανιαρή ιστορία, που είναι μόνο για μεγάλους. Εσείς, ένα χρειάζεται να ξέρετε: ο Θείος Ανδρέας, που είχε αναλάβει «να διαχειρίζεται την περιουσία της Θείας Λέτυ», δε δούλεψε ποτέ στη ζωή του. Φρόντιζε μόνο να φουσκώνει τους λογαριασμούς με κονιάκ και πού-

84

ρα (που τα πλήρωνε πάντα η Θεία Λέτυ), και μέσα σε τριάντα χρόνια κατάντησε την αδερφή του αισθητά φτωχότερη.

«Πουλάκι μου» είπε ο Θείος Ανδρέας, «δεν καταλαβαίνεις. Σήμερα μου έτυχαν κάτι απρόβλεπτα έξοδα. Πρέπει να περιποιηθώ κάποιον. Έλα τώρα, μη με κουράζεις».

«Και ποιον θα περιποιηθείς, παρακαλώ;» είπε η Θεία Λέτυ.

«Έναν – έναν εξαιρετικό επισκέπτη που ήρθε τώρα δα».

«Εξαιρετικός και πράσιν' άλογα!» είπε η θεία. «Μία ώρα έχει να χτυπήσει το κουδούνι».

Πάνω σ' αυτό, η πόρτα άνοιξε ορμητικά. Η Θεία Λέτυ γύρισε, και τα 'χασε. Στο κατώφλι στεκόταν μια πελώρια γυναίκα, με θαυμάσια ρούχα, μπράτσα γυμνά, και μάτια που πετούσαν αστραπές. Ήταν η Μάγισσα.

KΕΦΑΛΑΙΟ ΕΒΔΟΜΟ

Τι έγινε στην εξώπορτα

«Λοιπόν, σκλάβε; Θα περιμένω πολύ ακόμα το άρμα μου;» βρυχήθηκε η Μάγισσα. Ο Θείος Ανδρέας ζάρωσε όσο μπορούσε πιο μακριά της. Τώρα που την είχε μπροστά του χειροπιαστή, έκαναν φτερά όλες οι κουταμάρες που σκεφτόταν μπροστά στον καθρέφτη. Όμως η Θεία Λέτυ σηκώθηκε αμέσως, κι ήρθε και στάθηκε στη μέση της τραπεζαρίας.

«Ανδρέα! Ποια είναι η κοπέλα, αν επιτρέπεται;» είπε παγερά.

«Μια σπουδαία ξένη – πππ – πολύ σπουδαίο πρόσωπο» τραύλισε ο θείος.

«Αηδίες!» είπε η Θεία Λέτυ. Κι έπειτα στη Μάγισσα: «Έξω απ' το σπίτι μου, αδιάντροπη γλωσσού! Αμέσως! Να μη φωνάξω την αστυνομία!» Νόμιζε πως η Μάγισσα ήταν καμιά θεατρίνα από το τσίρκο. Κι ύστερα, δεν της άρεσαν καθόλου τα ξεμανίκωτα φουστάνια.

86

«Ποια είναι η γυναίκα;» ρώτησε η Τζάντις. «Πέσε στα γόνατα, σκουλήκι, πριν σε κάνω σκόνη!»

«΄Ακου δω, κυρά μου, όσο βρίσκεσαι σ' αυτό το σπίτι, να προσέχεις τα λόγια σου!» είπε η Θεία Λέτυ.

Τότε η Βασίλισσα ίσιωσε το κορμί της και ψήλωσε ακόμα πιο πολύ – έτσι του φάνηκε του Θείου Ανδρέα. Τα μάτια της πέταξαν φωτιές. Σήκωσε το χέρι ψηλά, και πρόφερε τα ίδια τρομερά λόγια που είχαν κάνει σκόνη τις πύλες του παλατιού στην Τσάρνη. Δεν έγινε τίποτα. Κι η Θεία Λέτυ, που νόμιζε πως η Μάγισσα μίλησε αγγλικά, είπε:

«Καλά το κατάλαβα. Είναι μεθυσμένη. Ορίστε μας! Αυτή εδώ δεν ξέρει τι λέει».

Πρέπει να 'ταν τρομερή στιγμή για τη Μάγισσα

87

όταν κατάλαβε, ξαφνικά, πως στο δικό μας κόσμο δεν είχε πια τη δύναμη να κάνει σκόνη τους ανθρώπους, όπως στο δικό της. Δεν τα σάστισε όμως, και χωρίς να χάνει τον καιρό της με απογοητεύσεις, όρμησε, άρπαξε τη Θεία Λέτυ απ' το γιακά κι από τα γόνατα, τη σήκωσε ψηλά, πάνω από το κεφάλι της, σαν να 'ταν κούκλα, και την πέταξε στην άλλη άκρη της τραπεζαρίας. Όσο η Θεία Λέτυ ταξίδευε ακόμα στον αέρα, η υπηρέτρια (που το 'χε γλεντήσει με την καρδιά της εκείνο το πρωί), έχωσε το κεφάλι της στην πόρτα και είπε: «Με το συμπάθιο, ήρθε το αμάξι».

«Έλα, σκλάβε!» είπε η Μάγισσα στο Θείο Ανδρέα. Εκείνος κάτι πήγε να μουρμουρίσει – «η βία είναι απαράδεκτη – θα διαμαρτυρηθώ» – μα ένα βλέμμα της Τζάντις τον έκανε να καταπιεί τη γλώσσα του. Βγήκαν μαζί, και την ώρα που ο Ντίγκορυ κατέβαινε τρεχάτος τις σκάλες, είδε την εξώπορτα να κλείνει πίσω τους.

«Τόμπολα!» είπε. «Αυτό μας έλειπε, να γυρίζει αμολυτή στο Λονδίνο! Παρέα με το Θείο Ανδρέα. Και τώρα τι κάνουμε;»

«Αχ, κύριε Ντίγκορυ» φώναξε η υπηρέτρια (που το διασκέδαζε όσο δεν παίρνει), «μου φαίνεται πως η δεσποινίς Κέτερλυ χτύπησε». Έτρεξαν λοιπόν κι οι δυο στην τραπεζαρία να δουν.

Αν η Θεία Λέτυ έπεφτε πάνω σε γυμνά σανίδια, ή έστω και σε χαλί, μου φαίνεται πως δε θα της έμενε κόκαλο γερό. Όμως, για καλή της τύχη, έπεσε πάνω στο στρώμα. Η Θεία Λέτυ ήταν σκληρό καρύδι – όπως οι περισσότερες θείες εκείνα τα χρόνια – κι αφού μύρισε κάτι «αιθέρια άλατα» και έμεινε ακίνητη πέντ' έξι λεπτά, δήλωσε πως δεν έχει τίποτα, αν εξαιρέσουμε τις μελανιές από το χτύπημα. Σε λίγο είχε πάρει πάλι το πάνω χέρι.

«Σάρα» φώναξε στην υπηρέτρια (που πρώτη φορά έκανε τέτοιο γλέντι), «τρέχα στην αστυνομία! Να τους πεις πως δραπέτευσε μια επικίνδυνη τρελή. Το φαγητό της κυρίας Κερκ θα το ανεβάσω εγώ». Η κυρία Κερκ ήταν, φυσικά, η μητέρα του Ντίγκορυ.

Η Θεία Λέτυ τάισε τη μητέρα, κι έπειτα κάθισε να φάει κι αυτή, μαζί με τον Ντίγκορυ. Κι όταν απόφαγαν, ο Ντίγκορυ προσπάθησε να το σκεφτεί.

Το πρόβλημα ήταν ένα: πώς να ξαναστείλει τη Μάγισσα στον κόσμο της, ή έστω να τη διώξει απ' τον δικό μας το ταχύτερο. Όπως και να το κάνουμε, δεν μπορούσε να την αφήσει να λυσσομανάει μέσα στο σπίτι του. Δεν έπρεπε να τη δει η μαμά του. Και, αν γινόταν, δεν έπρεπε να την αφήσουν να τριγυρίζει ούτε στο Λονδίνο. Ο Ντίγκορυ δεν ήταν στην τραπεζαρία όταν η Μάγισσα δοκίμασε να «κάνει σκόνη» τη Θεία Λέτυ, αλλά την είχε δει εκείνη τη φορά, στις πύλες του παλατιού. Ήξερε λοιπόν τις τρομερές δυνάμεις της. Δεν είχε μάθει μόνο ότι η Τζάντις έχασε στο μεταξύ μερικές. Ήξερε επίσης πως η Μάγισσα λογάριαζε να κατακτήσει τον κόσμο μας. Να, ίσα ίσα εκείνη τη στιγμή, μπορεί να 'κανε σκόνη τ' ανάκτορα του Μπάκιγχαμ, ή τη Βουλή των Κοινοτήτων. Ήταν σχεδόν βέβαιο πως κάμποσοι αστυνομικοί θα είχαν γίνει ήδη σωρουδάκια σκόνη. Κι αυτός να μην μπορεί να κάνει τίποτα! «Πάντως, τα δαχτυλίδια φαίνεται πως είναι σαν μαγνήτες» σκέφτηκε ο Ντίγκορυ. «Αν καταφέρω να την αγγίξω, κι έπειτα φορέσω το κίτρινο δαχτυλίδι, θα βρεθούμε κι οι δυο μας στο Δάσος Ανάμεσα Στους Κόσμους. Πού ξέρεις; Μπορεί να την ξαναπιάσει λιγοθυμιά. Λες να 'φταιγε τότε ο τόπος –

ή μήπως η απότομη αλλαγή, επειδή έφυγε απ' τον κόσμο της; Πρέπει να το ρισκάρω. Μα πού να τη βρω, την απαίσια; Η Θεία Λέτυ δεν πρόκειται να μ' αφήσει να βγω αν δεν της πω πού πάω. Κι ύστερα – δυο πένες έχω όλες κι όλες. Και θέλω του κόσμου τα λεφτά για τραμ και λεωφορεία, αφού πρέπει να ψάξω σ' όλο το Λονδίνο. Άσε που δεν έχω ιδέα πού να ψάξω. Κι ο Θείος Ανδρέας; Να 'ναι ακόμα μαζί της;»

Στο τέλος, το χώνεψε πως άλλη λύση δε χωρούσε: έπρεπε να περιμένει, και να ελπίζει πως η Μάγισσα κι ο Θείος Ανδρέας θα ξαναγυρίσουν. Και μόλις γύριζαν, έπρεπε να πιάσει αμέσως τη Μάγισσα και να φορέσει το κίτρινο δαχτυλίδι, πριν πατήσει το πόδι της στο σπίτι. Αυτό σήμαινε πως έπρεπε να παραφυλάει την εξώπορτα, όπως η γάτα την ποντικοφωλιά. Δεν έπρεπε να το κουνήσει από το πόστο του μήτε λεπτό. Πήγε λοιπόν στην τραπεζαρία και κόλλησε το πρόσωπό του στο παράθυρο. Ήταν ψηλό παράθυρο, αψιδωτό, κι από κει έβλεπες τα σκαλοπάτια της εισόδου και το δρόμο, από τη μια του άκρη ως την άλλη. Ψυχή δε θα κατάφερνε να φτάσει ως την εξώπορτα χωρίς να πάρεις είδηση. «Τι να γίνεται η Πόλυ;» σκέφτηκε ο Ντίγκορυ.

Τη σκέφτηκε πολλές φορές, εκείνο το ατέλειωτο μισάωρο που περίμενε. Εσείς όμως δεν κάνει ν' απορείτε, γι' αυτό θα σας το πω εγώ. Η Πόλυ γύρισε σπίτι καθυστερημένη, με τα παπούτσια και τις κάλτσες της μουσκίδι. Κι όταν τη ρώτησαν πού γύριζε και τι στην ευχή έκανε τόση ώρα, τους είπε πως έπαιζε έξω με τον Ντίγκορυ Κερκ. Κι όταν τη ζόρισαν λιγάκι, τους είπε πως έβρεξε τα πόδια της σε μια λιμνούλα, και πως η λιμνούλα ήταν σ' ένα δάσος. Κι όταν τη ρώτησαν πού βρίσκεται αυτό το δάσος, είπε πως δεν έχει ιδέα. Τη ρώτησαν έπειτα μήπως ήταν πάρκο, κι εκείνη, χωρίς να λέει ψέματα, είπε πως μπορεί να 'ταν πάρκο. Απ' όλη αυτή τη συζήτηση, η μαμά της σχημάτισε τη γνώμη πως η Πόλυ το 'χε σκάσει χωρίς να πει τίποτα κανενός, πως είχε βρεθεί σε κάποιο μέρος του Λονδίνου, δίχως να ξέρει τα κατατόπια, κι έπειτα μπήκε σ' ένα παράξενο πάρκο και πλατσούρισε στις λιμνούλες. Της είπε λοιπόν, με τη σειρά της, πως είναι πολύ άταχτη και πως δε θα την ξαναφήσουν να παίξει «με κείνον το μικρό, τον Κερκ» αν το ξανακάνει. Της έβαλε λίγο φαΐ στεγνό – αφού πρώτα έκρυψε ό,τι καλό και νόστιμο είχε για το μεσημέρι – και την έστειλε να ξαπλώσει στο κρεβάτι δυο ολόκληρες ώρες. Κάτι τέτοιες τιμωρίες έδιναν κι έπαιρναν εκείνο τον καιρό.

Έτσι, την ώρα που ο Ντίγκορυ περίμενε στο παράθυρο της τραπεζαρίας, η Πόλυ βρισκόταν στο κρεβάτι. Και για τους δυο, η ώρα περνούσε αφάνταστα αργά. Όσο για μένα – θα προτιμούσα να είμαι στη θέση της Πόλυ. Γιατί εκείνη, βλέπετε, ήξερε πως θα περιμένει μόνο δυο ώρες, ενώ ο Ντίγκορυ – κάθε τρεις και λίγο, μόλις άκουγε κανένα περαστικό αμάξι, ή το κάρο του φούρναρη, ή τον παραγιό του χασάπη που έστριβε τη γωνία, έλεγε μέσα του «Να τηνε» – κι έπειτα ανακάλυπτε πως δεν ήταν η Μάγισσα. Κι όσο που νά 'ρθει ο επόμενος συναγερμός, άκουγε μόνο το τικ τακ του ρολογιού και μια μεγάλη μύγα που ζουζούνιζε στο τζάμι, κάπου ψηλά, και δεν μπορούσε να τη φτάσει. Ήταν ένα από κείνα τα σπίτια που είναι ήσυχα και πληκτικά το απόγευμα, και σου φαίνεται πως μυρίζουν πάντα βραστό κρέας.

Όση ώρα φύλαγε καρτέρι, έγινε κάτι δίχως σημασία, που όμως πρέπει να το αναφέρω, γιατί αργότερα προκάλεσε κάτι άλλο, πολύ σημαντικό. Μια κυρία ήρθε να φέρει σταφύλια για τη μαμά του Ντίγκορυ· κι επειδή η πόρτα της τραπεζαρίας ήταν ανοιχτή, ο Ντίγκορυ κρυφάκουσε, άθελά του, τη Θεία Λέτυ που κουβέντιαζε στο διάδρομο με την κυρία.

«Τι ωραία σταφύλια!» είπε η Θεία Λέτυ. «Αν ούτε αυτά δεν μπορούν να της κάνουν καλό, τότε τίποτα δε θα μπορέσει! Αχ, η καημένη η Μέημπελ! Μου φαίνεται πως μόνο ο καρπός από τη Χώρα της Νιότης απομένει, τώρα πια! Σ' αυτό τον κόσμο τίποτα δε θα την κάνει καλά». Κι έπειτα χαμήλωσαν κι οι δυο τη φωνή τους και είπαν κι άλλα, που δεν τ' άκουσε.

Αν ο Ντίγκορυ είχε παρακολουθήσει αυτή την κουβέντα για τη Χώρα της Νιότης λίγες μέρες πριν, θα έλεγε πως η Θεία Λέτυ το 'πε στην τύχη, χωρίς να εννοεί κάτι συγκεκριμένο – όπως κάνουν πάντα οι μεγάλοι – και δε θα 'δινε σημασία. Παραλίγο να σκεφτεί το ίδιο και τώρα. Άξαφνα όμως, μια ιδέα του κατέβηκε σαν αστραπή: Ο Ντίγκορυ είχε μάθει κάτι που δεν ήξερε η Θεία Λέτυ: πως υπάρχουν στ' αλήθεια άλλοι κόσμοι – αφού κι αυτός είχε πάει! Ε λοιπόν, κάπου πρέπει να βρισκόταν και η Χώρα της Νιότης. Διόλου απίθανο. Μπορεί, σε κάποιον άλλο κόσμο, να 'χε φρούτα που μπορούσαν να γιατρέψουν τη μαμά του! Και τότε – Αχ. ξέρετε τι θα πει ν' αρχίσεις να ελπίζεις, όταν λαχταράς κάτι με τόση απελπισία; Βέβαια, προσπαθείς να διώξεις την ελπίδα, γιατί είναι τόσο όμορφη, που σου φαίνεται σαν ψέμα – και συ έχεις απογοητευτεί πολλές φορές ως τώρα. Ακριβώς έτσι ένιωσε ο Ντίγκορυ εκείνη τη στιγμή. Όμως τίποτα δεν κατάφερε, όσο κι αν προσπάθησε να πνίξει την ελπίδα του. Μπορεί – στ' αλήθεια, στ'

92

αλήθεια να υπήρχε τέτοια χώρα. Έτσι κι αλλιώς, χί-
λια δυο μυστήρια πράγματα είχαν γίνει. Κι είχε στην
τσέπη του δυο μαγικά δαχτυλίδια. Έπρεπε να υπάρ-
χουν κι άλλοι κόσμοι. Και να μπαίνεις από τις λι-
μνούλες του δάσους. Θα 'ψαχνε παντού. Κι έπειτα –
Έπειτα η μητέρα θα γινόταν καλά. Όλα θα 'φτια-
χναν πάλι. Ξέχασε πως είχε στήσει καρτέρι για τη
Μάγισσα, και το χέρι του γλιστρούσε κιόλας στην
τσέπη με το κίτρινο δαχτυλίδι, όταν άξαφνα ακού-
στηκε καλπασμός αλόγου.
«Να τα μας! Τι έγινε πάλι;» σκέφτηκε ο Ντίγκορυ.
«Πυροσβέστες θα 'ναι. Λες να 'πιασε φωτιά το σπίτι;
Μπα σε καλό! Κατά δω έρχονται. Αχ, αυτή είναι!»
Δε χρειάζεται, βέβαια, να σας εξηγήσω ποια Αυτή
εννοούσε.
Πρώτα φάνηκε το αμάξι. Στη θέση του οδηγού δεν
καθόταν κανείς. Και πάνω στη σκεπή – όχι καθιστή,
μα όρθια πάνω στη σκεπή – κρατώντας θαυμάσια την
ισορροπία της καθώς η άμαξα έστριβε σαν σίφουνας
με τη μια της ρόδα στον αέρα, στεκόταν η Τζάντις κι
ανέμιζε το καμουτσίκι. Η Τζάντις, η Βασίλισσα των
Βασιλισσών, ο Τρόμος της Τσάρνης. Έδειχνε τα δό-
ντια της και τα μάτια της άστραφταν σαν τη φωτιά,
και πίσω χύνονταν ξέπλεκα τα μακριά μαλλιά της,
σαν την ουρά του κομήτη. Μαστίγωνε αλύπητα το
άλογο. Τα ρουθούνια του ζωντανού ήταν κόκκινα
και τεντωμένα, άφριζε ολόκληρο. Καλπάζοντας τρε-
λά, έφτασε ως την είσοδο του σπιτιού, πέρασε ξυστά
απ' το φανοστάτη, και σηκώθηκε στα πισινά του πό-
δια. Η άμαξα κουτούλησε στο φανοστάτη κι έγινε
κάμποσα κομμάτια. Μ' ένα εξαίσιο σάλτο, η Μάγισ-
σα τινάχτηκε πάνω στην ώρα, και προσγειώθηκε στη
ράχη του αλόγου. Το καβάλησε, βολεύτηκε καλά, κι

έπειτα έσκυψε και κάτι του ψιθύρισε στο αυτί – όχι βέβαια λόγια που μερώνουν, μα λόγια που τρελαίνουν. Το άλογο σηκώθηκε ξανά στα πισινά του πόδια και χλιμίντρισε – ένα χλιμίντρισμα σαν ουρλιαχτό· μόνο οπλές έβλεπες, και δόντια, και μάτια, και χαίτη που παράδερνε. Κανένας δε θα κατάφερνε να σταθεί στη ράχη του αν δεν ήταν σπουδαίος καβαλάρης. Πριν ξαναβρεί την ανάσα του ο Ντίγκορυ, άρχισαν να συμβαίνουν κι άλλα πράγματα, απανωτά. Δεύτερο αμάξι ξεπρόβαλε φουλαριστό πίσω απ' το πρώτο, κι από το δεύτερο αμάξι πήδηξε ένας χοντρός με βελάδα, κι ένας αστυνόμος. Έπειτα φάνηκε και τρίτο αμάξι, μ' άλλους δυο αστυνομικούς. Κι από πίσω ακολουθούσαν καμιά εικοσαριά ποδηλάτες (παιδιά για τα θελήματα οι πιο πολλοί), κι όλοι χτυπούσαν τα κουδουνάκια τους με ζητωκραυγές και σφυρίγματα. Και παραπίσω τσούρμο ολόκληρο ερχόταν με τα πόδια. Ήταν όλοι ξαναμμένοι απ' το τρεχαλητό, μα, όπως φαίνεται, το γλένταγαν του καλού καιρού. Παράθυρα άνοιγαν στα σπίτια του δρόμου, και στις εξώπορτες πετάγονταν θαλαμηπόλοι και υπηρέτριες. Ποιος ήθελε να χάσει τέτοιο πανηγύρι;

Στο μεταξύ, ένας πολύ καθώς πρέπει κύριος πάλευε να βγει τρέμοντας απ' τα συντρίμμια της πρώτης άμαξας. Έτρεξαν κάμποσοι να του δώσουν ένα χέρι, μα καθώς ο ένας τον τραβούσε από τη μια μεριά, κι ο άλλος απ' την άλλη, είναι βέβαιο πως πιο γρήγορα θα τα κατάφερνε να βγει χωρίς βοήθεια. Ο Ντίγκορυ μάντεψε πως ο κύριος πρέπει να 'ταν ο Θείος Ανδρέας – και λέω μάντεψε, γιατί δεν έβλεπες το πρόσωπό του: κάποιος, πολύ δυνατός, του 'χε φορέσει βαθιά βαθιά το ψηλό του καπέλο, ως το σαγόνι.

Όρμησε έξω ο Ντίγκορυ, μέσα στον κόσμο.

«Να την! Αυτή είναι!» φώναξε ο χοντρός κι έδειξε την Τζάντις. «Κύριε αστυνόμε, κάντε το καθήκον σας. Αυτά που πήρε από το μαγαζί μου στοιχίζουν χιλιάδες λίρες – εκατοντάδες χιλιάδες. Για δέστε τα μαργαριτάρια που φοράει στο λαιμό της. Δικά μου είναι. Κι από πάνω, μου μαύρισε το μάτι».

«Μωρέ αυτηνής το λέει η περδικούλα της» πετάχτηκε κάποιος απ' το πλήθος. «Και το μαυρισμένο μάτι είναι μούρλια. Γεια στα χέρια της! Χρυσοχέρα γυναίκα!»

«Κύριος, κύριος, άμα του βάλεις απάνω μια ωμή μπριζόλα για κατάπλασμα θα περάσει» είπε ο παραγιός του χασάπη.

«Λοιπόν!» έκανε ο πιο σπουδαίος αστυνομικός. «Τι συμβαίνει εδώ πέρα;»

«Αφού σας λέω πως –» ξανάρχισε ο χοντρός, αλλά κάποιος τον έκοψε:

«Το νου σας, μη σας φύγει ο γέρος απ' την άμαξα! Αυτός την έβαλε!»

Ο γέρος, που φυσικά ήταν ο Θείος Ανδρέας, είχε

σηκωθεί με τα χίλια ζόρια κι έτριβε τις μελανιές του. «Λοιπόν;» είπε ο κύριος αστυνόμος γυρίζοντας προς το μέρος του. «Τι συμβαίνει;»

«Γμμμουφ – πππουφ – μρρρρουμφ» απάντησε ο Θείος Ανδρέας μέσα απ' το καπέλο.

«Αυτά που ξέρεις να τ' αφήσεις» τον αποπήρε αυστηρά ο κύριος αστυνόμος. «Δεν είναι ώρα για αστεία. Και βγάλε αμέσως το καπέλο!»

Ένας λόγος ήταν! Ο Θείος Ανδρέας πάλεψε σκληρά να βγάλει το καπέλο, μα τίποτα. Με τα πολλά, δυο αστυνομικοί το άρπαξαν από το γείσο και του το έβγαλαν, τραβώντας μ' όλη τους τη δύναμη.

«Ευχαριστώ, ευχαριστώ πολύ» είπε ξεψυχισμένα ο Θείος Ανδρέας. «Σας ευχαριστώ. Μπα σε καλό μου! Λαχτάρα και τούτη! Αν σας βρισκόταν κανένα ποτηράκι κονιάκ –»

«Για δώστε λίγη προσοχή, αν έχετε την καλοσύνη» είπε ο κύριος αστυνόμος, κι έβγαλε ένα πολύ μεγάλο δεφτέρι κι ένα μικρούτσικο μολυβάκι. «Έχετε καμιά σχέση με την κυρία από κει;»

«Πρόσεχε!» φώναξαν μερικοί, κι ο κύριος αστυνόμος παραμέρισε μ' ένα σάλτο, πάνω στην ώρα. Το άλογο είχε ρίξει προς το μέρος του μια δυνατή κλοτσιά – λίγο ακόμα και θα τον άφηνε στον τόπο. Η Μάγισσα έκανε μεταβολή, μαζί με το άλογο, για να έχει μπροστά της το πλήθος. Τα πίσω πόδια του αλόγου πατούσαν στο δρομάκι της εισόδου. Όλοι είδαν τότε πως η Μάγισσα κρατούσε ένα μακρύ κι αστραφτερό μαχαίρι. Μ' αυτό είχε κόψει, λίγο πριν, τα λουριά του αλόγου για να το ελευθερώσει από την κομματιασμένη άμαξα.

Στο μεταξύ, ο Ντίγκορυ αγωνιζόταν να βρεθεί κοντά στη Μάγισσα και να την αγγίξει. Δεν ήταν όμως καθόλου εύκολο, γιατί από τη δική του μεριά είχε ένα σωρό κόσμο. Και για να κάνει το γύρο να βρεθεί ~~~~ άλλη, έπρεπε να περάσει μέσ' απ' τα πόδια του αλογου με τις τρομερές οπλές, κι από τα κάγκελα του σπιτιού. Κι όποιος έχει ιδέα από άλογα, και μπορούσε να δει πώς ήταν το ζωντανό εκείνη τη στιγμή, θα καταλάβαινε πως ήταν πολύ ασυλλόγιστο να κάνει κάτι τέτοιο. Ο Ντίγκορυ ήξερε από άλογα, μα έσφιξε τα δόντια κι ετοιμάστηκε να ορμήσει μόλις βρεθεί η κατάλληλη ευκαιρία.

Τώρα, ένας κακκινοπρόσωπος με σκληρό καπέλο άνοιγε δρόμο σπρώχνοντας ανάμεσα στο πλήθος.

«Ψιτ! Κυρ αστυνόμε! Το άλογο είναι δικό μου. Δικό μου ήτανε και τ' αμάξι που το 'κανε βίδες η λεγάμενη».

«Παρακαλώ! Ένας ένας!» είπε ο κύριος αστυνόμος.

«Μα δεν έχουμε καιρό» τον έκοψε ο αμαξάς. «Το ξέρω καλά εγώ τ' αλογάκι μου. Είναι αλλιώτικο. Ο πατέρας του ήτανε στο ιππικό. Άλογο του αξιωματικού – αμ' τι θαρρείς! Κι αν η κυρά από δω το ανάψει

98

κι άλλο, θα γίνει μακελειό. Στάσου να περάσω να το πιάσω».

Ο κύριος αστυνόμος χάρηκε ολόψυχα που έβρισκε αφορμή να ξεκόψει απ' το άλογο. Ο αμαξάς έκανε ένα βήμα, σήκωσε τα μάτια και κοίταξε την Τζάντις. Έπειτα είπε, πολύ ευγενικά: «Και τώρα, κυρά μου, στάσου να του πιάσω το κεφάλι, και πήδα κάτω αμέσως! Φαίνεσαι καθώς πρέπει κοπέλα – και σίγουρα δε θες να γίνει φασαρία. Τράβα στο σπίτι σου να πιεις ένα τσαγάκι και να ξεκουραστείς, και θα σου περάσει». Και με τα λόγια αυτά, άπλωσε το χέρι του στο κεφάλι του αλόγου, και πρόσθεσε: «Ήσυχα, Φραουλή μου, ήσυχα αγόρι μου. Ήσυχα».

Τότε η Μάγισα μίλησε για πρώτη φορά.

«Σκύλε!» Η φωνή της ήταν παγερή και καθαρή, τόσο δυνατή, που σκέπασε όλες τις άλλες φωνές. «Σκύλε, κάτω τα χέρια απ' το βασιλικό μου άτι! Είμαι η αυτοκράτειρα Τζάντις!».

99

KEΦΑΛΑΙΟ ΟΓΔΟΟ

Η μάχη στο φανοστάτη

«Να χαρώ εγώ μια αυτοκράτειρα!» φώναξε κάποιος. «Μωρ' τι μας λες;» Κι άλλη μια φωνή συμπλήρωσε: «Ζήτω η αυτοκράτειρα της Κωλοπετεινίτσας!» Έγινε πανδαιμόνιο. Η Μάγισσα κοκκίνισε και υποκλίθηκε ελαφρά – όμως οι ζητωκραυγές έσβησαν μες στα χάχανα, και τότε πήρε είδηση πως της έκαναν καζούρα. Η όψη της παραμορφώθηκε. Έπιασε με το αριστερό της χέρι το μαχαίρι, κι έπειτα, χωρίς καμιά προειδοποίηση, έγινε κάτι τρομερό: Ανάλαφρα, δίχως την παραμικρή προσπάθεια, λες κι ήταν το πιο απλό πράγμα του κόσμου, η Μάγισσα άρπαξε με το δεξί της χέρι τον ένα στύλο του φανοστάτη και τον ξερίζωσε. Γιατί, βλέπετε, μπορεί να 'χε χάσει μερικά από τα μαγικά της όταν ήρθε στον κόσμο μας, αλλά η δύναμή της έμεινε ίδια, και μπορούσε ακόμα να τσακίζει τα σίδερα σαν σπιρτόξυλα. Η Τζάντις πέταξε ψη-

100

λά το καινούριο της όπλο, το ξανάπιασε, το ανέμισε πάλι, και σπιρούνισε το άλογο να ορμήσει.

«Ή τώρα ή ποτέ!» σκέφτηκε ο Ντίγκορυ, και δούτηξε ανάμεσα στο άλογο και στα κάγκελα. Έφτανε μόνο να κοντοσταθεί μια στιγμή το αφηνιασμένο ζωντανό, κι ο Ντίγκορυ θα 'πιανε τη φτέρνα της Μάγισσας. Καθώς πάλευε να προχωρήσει, άκουσε έναν απαίσιο κρότο κι αμέσως μετά ένα γδούπο. Η Μάγισσα είχε κατεβάσει το στύλο στο κράνος του αστυνόμου, κι ο φουκαράς έπεσε κάτω ξερός.

«Γρήγορα, Ντίγκορυ, πρέπει να τη σταματήσουμε!» είπε κάποιος δίπλα του. Ήταν η Πόλυ που, μόλις πήρε άδεια να σηκωθεί απ' το κρεβάτι, είχε βγει στο δρόμο χωρίς να χάσει καιρό.

«Είσαι λεβεντιά!» φώναξε ο Ντίγκορυ. «Κράτα με γερά, κι έχε το νου σου στο δαχτυλίδι. Το κίτρινο! Και μην το βάλεις ώσπου να σου πω».

Δεύτερος γδούπος ακούστηκε, κι άλλος ένας αστυνομικός ξαπλώθηκε κάτω, φαρδύς πλατύς. Το πλήθος ξέσπασε σε άγριες φωνές: «Κατεβάστε την κάτω! Πάρτε πέτρες! Φέρτε το στρατό! » Όμως, καλού κακού, οι πιο πολλοί παραμέρισαν – όσο πιο μακριά μπορούσαν. Μόνο ο αμαξάς, που φαίνεται πως ήταν ο πιο γενναίος κι ο πιο καλός απ' όλους εκεί πέρα, δεν έλεγε ν' αφήσει από κοντά το άλογό του. Έσκυβε πότε από δω και πότε από κει για ν' αποφύγει το στειλιάρι της Μάγισσας, και προσπαθούσε να πιάσει το σαγόνι του Φραουλή.

Το πλήθος γιουχάιζε. Μια πέτρα σφύριξε πάνω από το κεφάλι του Ντίγκορυ. Και τότε ακούστηκε η φωνή της Μάγισσας, πεντακάθαρη σαν πελώρια καμπάνα. Θα 'λεγες μάλιστα πως, έτσι, δίχως λόγο κι αφορμή, ήταν πολύ ευχαριστημένη.

101

«Καθάρματα! Θα μου το πληρώσετε πολύ ακριβά όταν κατακτήσω τον κόσμο σας. Πέτρα δε θ' αφήσω όρθια σ' αυτή την πόλη. Θα την κάνω σαν την Τσάρνη, σαν τη Φελίντα και τη Σορλοΐδα, σαν τη Βραμανδίνη!»

Επιτέλους. Ο Ντίγκορυ την άρπαξε απ' τον αστράγαλο. Κλότσησε η Μάγισσα, και το τακούνι της τον πέτυχε στο στόμα. Πόνεσε πολύ και την άφησε. Τα χείλια του είχαν σκιστεί, ένιωσε το στόμα του να γεμίζει αίμα. Από κάπου κοντά, πολύ κοντά, ακούστηκε τρεμουλιαστή και τσιριχτή η φωνή του Θείου Ανδρέα: «Κυρία μου – φιλτάτη Κυρία – προς Θεού – μην εξάπτεσθε!» Και δεύτερη φορά ο Ντίγκορυ την άρπαξε απ' τη φτέρνα, και ξανά τον πέταξε πέρα η Μάγισσα. Κόσμος και κοσμάκης έπεφτε τώρα θερισμένος απ' το στειλιάρι της. Την άρπαξε και τρίτη φορά, και κρατώντας της τη φτέρνα για ζωή και για θάνατο, φώναξε «Φύγαμε!» στην Πόλυ. Και τότε–

Αχ, δόξα τω Θεώ! Χάθηκαν όλα τα τρομαγμένα και θυμωμένα πρόσωπα. Σώπασαν οι αγριεμένες φωνές. Όλες, εκτός απ' τη φωνή του Θείου Ανδρέα, που κλαψούριζε στα σκοτεινά, κάπου κοντά στον Ντίγκορυ: «Αχού, συμφορά μου! Πάει, τρελαίνομαι! Έφτασε η συντέλεια του κόσμου! Αχ, δεν αντέχω άλλο! Δεν παίζω! Εγώ δεν ήθελα να γίνω μάγος! Πρόκειται περί παρεξηγήσεως! Η νουνά μου τα φταίει! Διαμαρτύρομαι εντόνως! Η υγεία μου είναι λεπτή! Παλαιά οικογένεια του Ντόρσετσαϊρ!»

«Κοίτα μπελάς!» σκέφτηκε ο Ντίγκορυ. «Αυτός μας έλειπε τώρα. Ούτε σχολική εκδρομή να 'τανε. Ψιτ, Πόλυ, πού είσαι;»

«Εδώ είμαι, ντε, μη σπρώχνεις!»

«Μα δε σπρώχνω» πήγε να πει ο Ντίγκορυ – αλλά

δεν πρόλαβε: τα κεφάλια τους βγήκαν στη ζεστή πράσινη λιακάδα του δάσους. Κι όπως πατούσαν στην όχθη, η Πόλυ έβαλε τις φωνές:

«Ποπό! Κοίτα! Πήραμε μαζί και το άλογο. Και τον κύριο Κέτερλυ. Και τον αμαξά. Γερή ψαριά, ε;»

Η Μάγισσα είδε το δάσος και χλόμιασε, καμπούριασε κι έκρυψε το πρόσωπό της στη χαίτη του αλόγου. Δεν ήθελε και σοφία για να μαντέψεις πως είχε το μαύρο της το χάλι. Ο Θείος Ανδρέας έτρεμε ολόκληρος. Μόνο το άλογο, ο Φραουλής, τίναξε πίσω το κεφάλι και χλιμίντρισε χαρούμενα. Τώρα ήταν καλά. Για πρώτη φορά το ζωντανό φάνηκε να ημερώνει. Τα αυτιά του, που τα 'χε ριγμένα πίσω, ξαναγύρισαν στην κανονική τους θέση. Από τα μάτια του έσβησε η άγρια φωτιά.

«Άιντε μπράβο, γέρο μου» είπε ο αμαξάς και τον χάιδεψε στο σβέρκο. «Έτσι, ντε! Με το μαλακό!»

Και τότε ο Φραουλής έκανε το πιο φυσικό πράγμα του κόσμου: Διψούσε πολύ (όπως ήταν επόμενο), κι αργά αργά μπήκε στη διπλανή λιμνούλα κι άρχισε να πίνει. Ο Ντίγκορυ κρατούσε τη φτέρνα της Μάγισσας, κι η Πόλυ τον Ντίγκορυ απ' το χέρι. Ο αμαξάς είχε το 'να χέρι στο σβέρκο του Φραουλή, κι ο Θείος Ανδρέας, τρέμοντας σαν το ψάρι, του 'σφιγγε τ' άλλο χέρι.

«Γρήγορα!» είπε η Πόλυ, και κοίταξε τον Ντίγκορυ. «Τα πράσινα!»

Και πριν προλάβουν να ποτίσουν το άλογο, όλη η παρέα βρέθηκε να βουλιάζει στο σκοτάδι. Ο Φραουλής χλιμίντρισε, κι ο Θείος Ανδρέας άρχισε πάλι την κλάψα. «Τύχη βουνό!» είπε ο Ντίγκορυ.

Σώπασαν. Κι έπειτα μίλησε η Πόλυ: «Δεν πρέπει να κοντεύουμε, λες;»

«Κάπου πρέπει να 'μαστε» είπε ο Ντίγκορυ. «Πάντως εγώ πατάω σε κάτι στέρεο».

«Κι εγώ. Τώρα το κατάλαβα» είπε η Πόλυ. «Μα γιατί είναι έτσι σκοτεινά; Λες να μπήκαμε σε λάθος λίμνη;»

«Μπορεί και να 'μαστε στην Τσάρνη» είπε ο Ντίγκορυ. «Πρέπει να φτάσαμε στ' άγρια μεσάνυχτα».

«Δεν είναι η Τσάρνη» ακούστηκε η φωνή της Μάγισσας. «Είναι ένας άδειος κόσμος. Το Τίποτα».

«Κι αλήθεια, με Τίποτα έμοιαζε. Αστέρια δεν είχε, κι ήταν τόσο σκοτεινά, που δεν ξεχώριζες το διπλανό σου, μήτε καταλάβαινες τη διαφορά αν ανοιγόκλεινες τα μάτια. Κάτω απ' τα πόδια τους είχε ένα ίσιωμα δροσερό, μάλλον χώμα, γιατί δεν ήταν σίγουρα ούτε ξύλο ούτε χορτάρι. Ο αέρας ήταν κρύος και στεγνός, δε φυσούσε καθόλου.

«Πάω χαμένη!» είπε η Μάγισσα, κι η φωνή της ήταν τόσο ήρεμη, που σου 'κοβε τη χολή.

«Αχ, μην το λέτε!» τραύλισε ο Θείος Ανδρέας. «Καλή μου Κυρία, σας παρακαλώ, τι 'ναι αυτά που λέτε; Μα δεν μπορεί να είναι τόσο άσχημα, αποκλείεται. Αχ – αμαξά – καλέ μου άνθρωπε – μήπως σου βρίσκεται κανένα παγουράκι; Μια γουλίτσα ποτό είναι ό,τι πρέπει».

«Ψυχραιμία, παιδιά! Ψυχραιμία!» είπε ο αμαξάς. Η φωνή του ήταν σταθερή και γενναία, γεμάτη καλοσύνη. «Τι κάνετε έτσι; Ακούστε εδώ: Έχει σπάσει κανείς κάνα κόκαλο; Όχι. Πολύ ωραία. Άντε μπράβο, να λέμε και πάλι καλά, μετά από τέτοια βουτιά. Το λοιπόν: αν πέσαμε σε τίποτα σκαμμένα – εκεί που ανοίγουνε κι άλλους σταθμούς για τον υπόγειο σιδερόδρομο – όπου να 'ναι, κάποιος θα 'ρθει και θα μας βγάλει. Κι αν πάλι έχουμε πεθάνει – που δεν αποκλείεται – ένα να θυμόσαστε: δεν έχει χειρότερο. Έτσι κι αλλιώς, όλοι θα πεθαίναμε μια μέρα. Κι αν ζήσαμε τίμια τη ζωή μας, δεν έχουμε να φοβηθούμε τίποτα. Όσο για μένα – αν με ρωτάτε – λέω να πούμε κανέναν ύμνο για να περάσει η ώρα».

Κι έπιασε το τραγούδι. Ήταν ο Ύμνος του Θέρου, από τη Μέρα των Ευχαριστιών, κι έλεγε για τη σοδειά και την καλή συγκομιδή. Δεν ταίριαζε βέβαια και πολύ στον τόπο εκείνο, όπου καταλάβαινες πως τίποτα δεν είχε φυτρώσει από τη χαραυγή του χρόνου, μα αυτό τον ύμνο ήξερε καλύτερα. Είχε ωραία φωνή, και τα παιδιά τον συνόδεψαν. Τους έφτιαξε το κέφι. Μόνο ο Θείος Ανδρέας κι η Μάγισσα δεν άνοιξαν το στόμα τους.

Κόντευαν να τελειώσουν τον ύμνο, όταν ο Ντίγκορυ ένιωσε κάποιον να τον πιάνει απ' τον αγκώνα, κι από τη μυρωδιά – κονιάκ και πούρα κι ακριβά υφάσματα – κατάλαβε πως είναι ο Θείος Ανδρέας. Πολύ προσεχτικά, ο θείος τον τραβούσε για να ξεμακρύνουν απ' τους άλλους. Κι όταν αποτραβήχτηκαν αρκετά, ο γέρος έβαλε το στόμα του κοντά κοντά στο αυτί του Ντίγκορυ – τόσο, που τον γαργάλησε – και του ψιθύρισε:

«Άντε γεια σου γιόκα μου. Βάλε το δαχτυλίδι να φύγουμε».

Μα το αυτί της Μάγισσας δε γελιόταν εύκολα. «Βλάκα!» φώναξε, και πήδηξε απ' το άλογο. «Ξέχασες πως μπορώ ν' ακούσω ακόμα και τη σκέψη των ανθρώπων; Άσε κάτω το παιδί! Κι αν κάνεις πως με προδίνεις, θα σ' εκδικηθώ με τρόπους που δεν έχει δει κανένας κόσμος, από τη μέρα που γεννήθηκε».

«Κι ύστερα» είπε ο Ντίγκορυ, «αν μ' έχεις για τόσο

105

αναίσθητο – να φύγω και να παρατήσω την Πόλυ και τον αμαξά και το άλογο σε τέτοιο μέρος – είσαι γελασμένος».

«Είσαι αυθάδης και ανυπάκουος!» είπε ο Θείος Ανδρέας.

«Σουτ!» έκανε ο αμαξάς – κι όλοι σώπασαν κι αφουγκράστηκαν.

Επιτέλους. Κάτι γινόταν μέσα στο σκοτάδι. Μια φωνή είχε αρχίσει το τραγούδι. Ερχόταν από μακριά – πολύ μακριά, ο Ντίγκορυ δυσκολεύτηκε να καταλάβει από πού. Άλλοτε έμοιαζε να βγαίνει απ' όλες τις μεριές μαζί, κι άλλοτε από το χώμα που πατούσαν. Οι βαθιές της νότες μπορεί και να 'ταν η φωνή της ίδιας της γης. Δεν είχε λόγια. Ούτε καν σκοπό. Κι όμως, ήταν η πιο ωραία φωνή που άκουγαν στη ζωή τους, δε χωρούσε σύγκριση. Τόσο ωραία, που δεν μπορούσες να την αντέξεις. Ως και το άλογο καθόταν μαγεμένο. Κι άξαφνα χλιμίντρισε – ένα χλιμίντρισμα αλόγου που έσυρε άμαξες χρόνια και χρόνια, και τώρα ξαναγυρίζει στο χωράφι όπου έπαιζε μικρό, και βλέπει κάποιον αγαπημένο που το πλησιάζει για να το ταΐσει ζάχαρη, και τον ξαναθυμάται.

«Θεούλη μου!» είπε ο αμαξάς. «Είναι υπέροχο».

Και τότε έγιναν δυο θαύματα – απανωτά. Πρώτα πρώτα, πλήθος φωνές έσμιξαν με την πρώτη, έτσι ξαφνικά. Αμέτρητες φωνές, αρμονικές, με πιο ψηλές νότες, φωνές ψυχρές, καμπανιστές, σαν ασημένιες. Κι έπειτα, όλη η μαυρίλα πάνω απ' τα κεφάλια τους άστραψε μεμιάς αστέρια. Μόνο που τ' αστέρια δε βγήκαν ένα ένα, σιγανά, όπως τα βράδια του καλοκαιριού. Να: εκεί που είχε μοναχά σκοτάδι, και τίποτ' άλλο, ξεπήδησαν απότομα χίλια φωτάκια – αστέρια, αστερισμοί, πλανήτες πιο λαμπεροί και πιο

106

μεγάλοι απ' του δικού μας κόσμου. Σύννεφο δε φαινόταν πουθενά. Τ' αστέρια κι οι φωνές ξεπήδησαν μαζί, την ίδια ακριβώς στιγμή. Κι αν ήσαστε από μια μεριά, ν' ακούτε και να βλέπετε όπως ο Ντίγκορυ, το δίχως άλλο θα το νιώθατε πως τραγουδούσαν τα άστρα, και πως η Πρώτη Φωνή, η βαθιά, τα 'χε κάνει

να γεννηθούν και να τραγουδήσουν.

«Δόξα εν υψίστοις!» είπε ο αμαξάς. «Δε θα 'χα κάνει κακό στη ζωή μου, αν ήξερα πως υπάρχουν και τέτοια».

Τώρα η φωνή πάνω στη γη δυνάμωσε, αντήχησε θριαμβικά· μα οι φωνές από τον ουρανό, έπειτα από το δυνατό τραγούδι τους, άρχισαν να σβήνουν. Και τότε έγινε κάτι άλλο.

Πέρα μακριά, στο βάθος του ορίζοντα, ο ουρανός άρχισε να ξανοίγει. Ένα αεράκι σάλεψε, ανάλαφρο και δροσερό. Κι ο ουρανός σε κείνη τη μεριά καθάριζε ολοένα. Έβλεπες κιόλας το περίγραμμα των λόφων, σκοτεινό, κι η Φωνή όλο τραγουδούσε.

Σε λίγο είχε φέξει αρκετά, κι ο ένας ξεχώριζε πια το πρόσωπο του άλλου. Τα δυο παιδιά κι ο αμαξάς στέκονταν με το στόμα ορθάνοιχτο και μάτια που έλαμπαν· ρουφούσαν το τραγούδι, και η όψη τους έδειχνε πως το τραγούδι κάτι τους θύμιζε. Ανοιχτό ήταν και το στόμα του Θείου Ανδρέα, μα όχι από χαρά. Θα 'λεγες μάλλον πως το σαγόνι του είχε κρεμάσει. Στεκόταν καμπουριασμένος και τα γόνατά του τρέμαν. Α όχι, εκεινού δεν του άρεσε καθόλου. Κι αν είχε μέρος να τρυπώσει, να γλιτώσει απ' τη Φωνή, σίγουρα θα τρύπωνε – μακάρι και σε ποντικοφωλιά. Μόνο η Μάγισσα έδειχνε να καταλαβαίνει πιο καλά απ' όλους αυτή τη μελωδία. Είχε το στόμα κλειστό, τα χείλια σφιγμένα και τα χέρια γροθιές. Από την πρώτη κιόλας στιγμή που άρχισε το τραγούδι, το ένιωσε πως ο άγνωστος κόσμος ήταν γεμάτος μάγια – αλλιώτικα απ' τα δικά της, πιο δυνατά. Τον μισούσε αυτό τον κόσμο, κι ήθελε να τον κάνει κομμάτια, κομμάτια και τους άλλους κόσμους, όλους, φτάνει να σταματούσε το τραγούδι. Το άλογο είχε τεντώσει τα αυτιά του μπροστά, και κάθε τόσο ρουθούνιζε κι έσκαβε το χώμα. Μα τώρα δε φαινόταν γερασμένο, ούτε άλογο που έσερνε αμάξια. Κι αν σου έλεγε κανείς πως ο πατέρας του είχε πάει στον πόλεμο, θα το πίστευες.

Στ' ανατολικά, ο ουρανός άλλαξε χρώμα. Από άσπρος που ήταν, έγινε ρόδινος, κι από ρόδινος ολόχρυσος. Η Φωνή δυνάμωνε, κι όλο δυνάμωνε, ώσπου ο αέρας άρχισε να τρέμει. Και καθώς φούσκωνε και ξεχείλιζε σ' ένα τραγούδι παντοδύναμο και δοξαστικό, βγήκε ο ήλιος.

108

Τέτοιον ήλιο δεν είχε ξαναδεί ποτέ του ο Ντίγκο-ρυ. Ο άλλος ήλιος, πάνω απ' τα χαλάσματα της Τσάρνης, έμοιαζε πιο γέρικος απ' το δικό μας. Όμως αυτός εδώ ήταν σίγουρα νεότερος. Θα 'λεγες μάλιστα πως γελούσε χαρούμενα καθώς ανέβαινε στον ουρανό. Και μόλις έπεσαν στη γη οι ακτίνες του, οι ταξιδιώτες είδαν για πρώτη φορά σε τι τόπο βρίσκονταν. Ήταν μια πελώρια κοιλάδα, κι ένα πλατύ και γρήγορο ποτάμι την έκοβε κυλώντας ανατολικά, κατά τον ήλιο. Στα νότια είχε βουνά, και στο βορρά πιο χαμηλά λοφάκια. Και στην κοιλάδα έβλεπες μόνο χώμα, βράχια και νερό. Μήτε δέντρο, μήτε θάμνος, μήτε χορταράκι φαινόταν πουθενά. Μα τι χώμα ήταν εκείνο! Όλο χρώματα, χρώματα φρέσκα, ζεστά και ζωηρά, που σε πλημμύριζαν γλυκιά ταραχή. Ώσπου, άξαφνα, είδαν τον Τραγουδιστή, και τότε ξέχασαν όλα τ' άλλα.

Ήταν ένα Λιοντάρι, πελώριο, βαρύ κι αστραφτερό. Στεκόταν με το πρόσωπό του γυρισμένο κατά τη μεριά του ήλιου που ανάτελλε – καμιά τρακοσαριά μέτρα πιο κει. Είχε το στόμα ανοιχτό και τραγουδούσε.

«Τρομερός κόσμος!» είπε η Μάγισσα. «Πάμε να φύγουμε, αμέσως! Κάνε τα μαγικά σου!»

«Κυρία μου, με βρίσκετε απολύτως σύμφωνο» είπε ο Θείος Ανδρέας. «Ο τόπος αυτός είναι ανυπόφορος. Εντελώς απολίτιστος. Αλλά – αν ήμουν νεότερος – και οπλισμένος –»

«Πανάθεμά σε!» πετάχτηκε ο αμαξάς. «Θα σου πήγαινε η καρδιά να σκοτώσεις το λιοντάρι;»

«Ακούς εκεί!» είπε η Πόλυ.

«Μπρος, γερο-ηλίθιε, κάνε τα μαγικά σου!» είπε η Τζάντις.

«Βεβαίως, Κυρία μου» συμφώνησε πονηρά ο Θείος ∧νδρέας. «Πρέπει όμως να μ' αγγίξουν και τα δυο παιδιά. Ντίγκορυ, βάλτε αμέσως τα δαχτυλίδια της επιστροφής». Λογάριαζε, βέβαια, να φύγει και να παρατήσει τη Μάγισσα.

«Α, ώστε δαχτυλίδια είναι!» φώναξε η Τζάντις. Και σίγουρα θα 'χωνε το χέρι της στην τσέπη του Ντίγκορυ πριν προλάβεις να πεις κύμινο, αλλά ο Ντίγκορυ έπιασε την Πόλυ και φώναξε:

«Προσέξτε! Αν πλησιάσει κανείς σας, έστω κι έναν πόντο, εμείς οι δυο θα εξαφανιστούμε και θα σας αφήσουμε για πάντα εδώ. Μάλιστα! Το δαχτυλίδι που έχω στην τσέπη μου, θα με πάρει μαζί με την Πόλυ και θα μας πάει πίσω. Κοιτάξτε! Το χέρι μου είναι έτοιμο. Λοιπόν! Μη ζυγώσει κανείς. Λυπάμαι πολύ για σένα και για το άλογο (είπε στον αμαξά), αλλά δε γίνεται αλλιώς. Όσο για σας τους δυο (γύρισε στο Θείο Ανδρέα και στη Βασίλισσα), αφού είσαστε μάγοι, μάλλον θα σας αρέσει εδώ πέρα».

«Ησυχία!» φώναξε ο αμαξάς. «Εγώ θέλω ν' ακούσω τη μουσική».

Γιατί τώρα το Τραγούδι είχε αλλάξει.

110

ΚΕΦΑΛΑΙΟ ΕΝΑΤΟ

Πώς ιδρύθηκε η Νάρνια

Προχωρούσε το Λιοντάρι σ' εκείνη την έρημη γη, κι έλεγε το καινούριο του τραγούδι. Ένα τραγούδι πιο απαλό και καμπανιστό από τ' άλλο που είχε γεννήσει τ' αστέρια και τον ήλιο, μια μουσική τρυφερή που ξεχυνόταν κύματα κύματα. Κι όλο πήγαινε και τραγουδούσε, και η κοιλάδα πρασίνιζε απ' τα χόρτα, άπλωνε πίσω απ' το Λιοντάρι σαν πράσινη λίμνη, σκαρφάλωνε τρεχάτη στις πλαγιές των λόφων, και σε λίγο ανηφόριζε στα μακρινά βουνά, κι ο νέος κόσμος γλύκαινε με την κάθε στιγμή που περνούσε. Τώρα ακούστηκε το αεράκι που θρόιζε στα χόρτα, και σε λίγο άλλο δεν έβλεπε το μάτι, πέρα από βλάστηση. Οι πιο ψηλές πλαγιές σκούρυναν απ' τα ρείκια, και στην κοιλάδα άρχισαν να ξεφυτρώνουν μπαλώματα βαθυπράσινα και σκληρά. Στην αρχή, ο Ντίγκορυ δεν κατάλαβε τι είναι, ώσπου ένα τέτοιο μπαλωματάκι ξε-

111

φύτρωσε κοντά του: ένα μικρό αγκαθωτό φυτό που πέταξε αμέσως βλαστάρια, και τα βλαστάρια απλώθηκαν χλωρά, κι όλο μεγάλωναν, ίσαμ' έναν πόντο το δευτερόλεπτο, κι ολόγυρα ξεφύτρωναν τα ίδια φυτά, δέκα δέκα. Κι όταν πια κόντευαν να τον φτάσουν στο μπόι, ο Ντίγκορυ έβαλε μια φωνή – «Δέντρα!» – γιατί επιτέλους είχε καταλάβει.

Ένα ήταν το κακό, όπως είπε αργότερα η Πόλυ: δεν μπορούσες να τα χαζέψεις με την ησυχία σου. Να, ο Ντίγκορυ ας πούμε – την ώρα που φώναξε «Δέντρα!» – αναγκάστηκε να τραβηχτεί απότομα, γιατί ο Θείος Ανδρέας, που τον είχε πλησιάσει ύπουλα, ετοιμαζόταν να του βάλει το χέρι στην τσέπη. Βέβαια, και να το κατόρθωνε, πάλι δε θα 'βγαινε τίποτα, γιατί ο Θείος Ανδρέας είχε βάλει στο μάτι λάθος τσέπη – τη δεξιά: νόμιζε πως για το «γυρισμό» είναι τα πράσινα δαχτυλίδια. Πάντως, ο Ντίγκορυ δεν είχε όρεξη να χάσει ούτε το πράσινο ούτε το κίτρινο.

«Ακίνητος!» φώναξε η Μάγισσα. «Κάνε πέρα! Όχι! Πιο μακριά! Ακόμα πιο μακριά! Κι άλλο! Αν ζυγώσει κανείς τα παιδιά στα δέκα βήματα, θα του τινάξω τα μυαλά στον αέρα!» Ανέμιζε τώρα το σιδερένιο στύλο που 'χε ξεριζώσει από το φανοστάτη, κι ήταν έτοιμη να τον ρίξει. Και δε χωρούσε αμφιβολία πως η Μάγισσα ήξερε καλό σημάδι.

«Ωραία!» είπε. «Σχεδίαζες να γυρίσεις κρυφά στον κόσμο σου μαζί με το παιδί, και να μ' αφήσεις εδώ;»

Καιρός ήταν! Ο Θείος Ανδρέας είχε θυμώσει τόσο, που ξέχασε την τρομάρα του. «Μάλιστα, κυρά μου, καλά το κατάλαβες» είπε. «Θα γύριζα και θα παραγύριζα. Και θα είχα όλο το δίκιο του κόσμου. Μου φέρθηκες ανάρμοστα, με ρεζίλεψες! Εγώ έγινα χαλί να με πατήσεις, σου έδειξα τη μεγαλύτερη ευγένεια.

112

Και τι πήρα σ' αντάλλαγμα; Λήστεψες έναν πολύ καθώς πρέπει κοσμηματοπώλη – ακούς; ΤΟΝ ΛΗΣΤΕΨΕΣ! Μ' έβαλες να σου κάνω το τραπέζι στο ακριβότερο εστιατόριο, κι αναγκάστηκα ν' αφήσω ενέχυρο το ρολόι και την καδένα μου για να πληρώσω το λογαριασμό. Και ξέρεις κάτι, κυρά μου; Στο δικό μας το σόι, δε συνηθίζουμε να μπαινοβγαίνουμε στα ενεχυροδανειστήρια – αν εξαιρέσεις τον ξάδερφό μου τον Εδουάρδο, το στρατιωτικό. Και μετά, στο γεύμα – που ακόμα μου κάθεται στο στομάχι – έκανες όλο τον κόσμο να μας κοιτάζει ενοχλημένα μ' αυτά που έλεγες και με τον τρόπο που φέρθηκες. Μ' έκανες ρεζίλι σε δημόσιο χώρο. Δε θα τολμήσω να ξαναπατήσω σ' εκείνο το εστιατόριο. Κι ύστερα, τα 'βαλες με την αστυνομία. Έκλεψες –»

«Αμάν άνθρωπέ μου! Θα πάψεις καμιά φορά;» πετάχτηκε ο αμαξάς. «Εδώ είναι μόνο να βλέπεις και να ακούς, όχι να μιλάς».

Κι αληθινά, είχε τόσα να δεις και ν' ακούσεις! Το δεντράκι, που πρωτόδε ο Ντίγκορυ, είχε γίνει τώρα μια τεράστια οξιά, και τα κλαδιά της κυμάτιζαν απαλά πάνω απ' το κεφάλι τους. Πατούσαν σε δροσερό καταπράσινο χορτάρι, σπαρμένο μαργαρίτες και καμπανούλες. Πιο κάτω, στην όχθη του ποταμού, φύτρωναν ιτιές, κι η άλλη όχθη ήταν ζωσμένη με πυκνές ολάνθιστες βατομουριές, πασχαλιές, αγριοτριανταφυλλιές και πικροδάφνες. Το άλογο μπούκωνε κιόλας λαίμαργα το νόστιμο φρέσκο χορταράκι.

Και το Λιοντάρι πήγαινε κι όλο τραγουδούσε, αγέρωχο και μεγαλόπρεπο. Αλλά – τι φρίκη! – με κάθε γύρο, ερχόταν όλο και πιο κοντά τους. Η Πόλυ παρακολουθούσε το τραγούδι κι ένιωθε το ενδιαφέρον της να μεγαλώνει, γιατί καταλάβαινε τώρα πως η

113

μουσική είχε κάποια σχέση μ' όσα γίνονταν γύρω της. Κι όταν είδε τα βαθυπράσινα έλατα να ξεφυτρώνουν στη σειρά, πέρα στη ραχούλα, σκέφτηκε πως κάτι είχαν να κάνουν με τις βαθιές, μακρόσυρτες νότες που είχε τραγουδήσει το Λιοντάρι λίγο πριν. Κι όταν η μουσική πετάχτηκε ψηλά, γοργή κι ανάλαφρη, είδε κίτρινα λουλούδια να φυτρώνουν παντού, και δεν παραξενεύτηκε. Κι έτσι, ανείπωτα μαγεμένη, ένιωσε μέσα της μια σιγουριά: όλα τούτα (είπε αργότερα) «έβγαιναν από το μυαλό του Λιονταριού». Αν άκουγες το τραγούδι προσεχτικά, θα μάντευες τι θέλει να φτιάξει – κι ώσπου να κοιτάξεις γύρω σου, το 'βλεπες κιόλας γεννημένο. Ήταν όλα τόσο συναρπαστικά, που δεν προλάβαινες να φοβηθείς. Μόνο ο Ντίγκορυ κι ο αμαξάς, άθελά τους, ένιωθαν κάπως εκνευρισμένοι όσο ζύγωνε το Λιοντάρι. Κι αν πείτε για το Θείο Ανδρέα... Τα δόντια του χτυπούσαν και τα γόνατά του τρέμαν, ούτε να το βάλει στα πόδια δεν μπορούσε!

Άξαφνα, η Μάγισσα προχώρησε θαρρετά προς το μέρος του Λιονταριού. Το Λιοντάρι πλησίαζε με βήμα αργό και βαρύ, χωρίς να σταματήσει το τραγούδι του. Τώρα είχε φτάσει στα δώδεκα μέτρα. Η Μάγισσα σήκωσε το χέρι ψηλά, και του πέταξε το σιδερένιο στύλο στο κεφάλι.

Ήταν τόσο μικρή η απόσταση, που δύσκολα θα ξαστοχούσε κανείς – πολύ λιγότερο η Τζάντις. Το σίδερο πέτυχε το Λιοντάρι ανάμεσα στα μάτια, τινάχτηκε, κι έσκασε στα χόρτα μ' ένα μουντό γδούπο. Το Λιοντάρι ολοένα πλησίαζε. Δεν προχωρούσε ούτε πιο αργά ούτε πιο γρήγορα από πριν – και δε θα έπαιρνες όρκο πως είχε καταλάβει το χτύπημα. Οι μαλακές πατούσες του δεν έκαναν τον παραμικρό θόρυβο, κι ωστόσο ένιωθες τη γη να τρέμει κάτω από το βάρος του.

Η Βασίλισσα το 'βαλε στα πόδια τσιρίζοντας και χάθηκε μέσα στα δέντρα. Έκανε κι ο Θείος Ανδρέας να τρέξει, μα σκόνταψε σε μια ρίζα κι έπεσε με τα μούτρα σ' ένα ρηχό ρυάκι που κυλούσε και χυνόταν στο ποτάμι, λίγο παρακάτω. Τα παιδιά δεν μπορού-

σαν να σαλέψουν. Και γιατί να φύγουν; Το Λιοντάρι δεν τους έδωσε σημασία. Είχε ορθάνοιχτο το πελώριο κόκκινο στόμα του – μα δε μούγκριζε: μόνο τραγουδούσε. Πέρασε τόσο κοντά τους που, αν ήθελαν, μπορούσαν να του πιάσουν τη χαίτη. Έτρεμαν και τα δυο μη γυρίσει να τα κοιτάξει – και, τι παράξενο, την ίδια στιγμή παρακαλούσαν να γυρίσει. Το Λιοντάρι τα προσπέρασε λες κι ήταν αόρατα, λες και δεν είχαν μυρωδιά. Κι αφού προχώρησε λίγα βήματα, ξαναγύ-

115

ρισε, τα προσπέρασε πάλι, και τράβηξε ανατολικά.

Ο Θείος Ανδρέας ανασηκώθηκε βήχοντας και πλατσουρίζοντας.

«Άιντε, Ντίγκορυ! Την ξεφορτωθήκαμε τη Μάγισσα. Και το θηρίο φεύγει. Δώσ' μου το χέρι σου, και βάλε το δαχτυλίδι».

«Μην πλησιάσεις!» φώναξε ο Ντίγκορυ κι έκανε πίσω. «Πόλυ, τρέχα! Κάνε το γύρο κι έλα κοντά μου. Λοιπόν, θείε, σε προειδοποιώ: αν το κουνήσεις έστω κι ένα βήμα, έφυγα!»

«Κι εσύ να κάνεις αμέσως αυτό που σου λέω!» είπε ο θείος. «Είσαι πολύ ανυπάκουο παιδί. Κακομαθημένε!»

«Μην ανησυχείς» είπε ο Ντίγκορυ. «Θέλω να μείνω, να δω τι θα γίνει. Νόμιζα πως και συ ήθελες να γνωρίσεις άλλους κόσμους. Δε σ' αρέσει εδώ που είμαστε;»

«Να μ' αρέσει!» φώναξε ο Θείος Ανδρέας. «Μα δεν κοιτάς την κατάντια μου; Πάει το καλό μου το σακάκι! Και το καλό μου το γιλέκο!» Και, στ' αλήθεια, είχε τα χάλια του – γιατί, βέβαια, όσο πιο καλοντυμένος ξεκινάς στην αρχή, τόσο πιο χάλια καταντάς όταν έχεις βγει σέρνοντας από ένα τσακισμένο αμάξι, κι έπειτα πέσεις με τα μούτρα σε λασπωμένο ρυάκι. «Δε λέω» συνέχισε, «ο τόπος αυτός έχει μεγάλο ενδιαφέρον. Αν ήμουνα νεότερος – Αλλά, και πάλι – Αν κατάφερνα κανένα παλικάρι να 'ρθει εδώ πέρα – Κανέναν κυνηγό, γερό κυνηγό – Θα φτιάχναμε πολλά σ' αυτή τη χώρα. Έχει έξοχο κλίμα. Πρώτη μου φορά αναπνέω τέτοιον αέρα. Νομίζω πως θα με ωφελούσε αν – αν οι περιστάσεις ήταν πιο ευνοϊκές. Αχ, να 'χα ένα όπλο!»

«Βράσ' τα τα όπλα» τον έκοψε ο αμαξάς. «Εγώ λέω

116

να ξυστρίσω λίγο το Φραουλή μου. Αυτό το άλογο έχει περισσότερο μυαλό από μερικούς μερικούς». Πλησίασε το Φραουλή και του σφύριξε όπως ξέρουν να σφυρίζουν οι ιπποκόμοι.

«Δηλαδή, πιστεύεις ακόμα πως υπάρχει όπλο που να σκοτώνει ΑΥΤΟ το Λιοντάρι;» ρώτησε ο Ντίγκορυ. «Εδώ κοτζάμ σιδερένιος στύλος, κι ούτε που τον κατάλαβε».

«Δε λέω, έκανε πολλά λάθη, αλλά είναι γενναία κοπέλα, μικρέ μου» είπε ο Θείος Ανδρέας. «Το λέει η καρδιά της». Έτριψε τα χέρια κι άρχισε να σκάει τα δάχτυλά του, σαν να ξεχνούσε πάλι πόσο την έτρεμε τη Μάγισσα όταν την είχε μπροστά του.

«Τη σιχαμένη!» είπε η Πόλυ. «Το Λιοντάρι δεν της έφταιξε τίποτα!»

«Μπα! Άλλο πάλι και τούτο» έκανε ο Ντίγκορυ, κι έτρεξε να δει κάτι που φύτρωνε λίγο πιο κει. «Πόλυ, τρέχα» φώναξε. «Τρέχα να δεις!»

Μαζί της πλησίασε και ο Θείος Ανδρέας. Δεν είχε και μεγάλη όρεξη να δει, αλλά δεν ήθελε ν' αφήσει από κοντά του τα παιδιά – μήπως βρει ευκαιρία να τους κλέψει τα δαχτυλίδια. Μα όταν είδε τι κοιτούσε ο Ντίγκορυ, ενδιαφέρθηκε θέλοντας και μη. Ήταν ένας μικρούλης φανοστάτης, τέλειος φανοστάτης, γύρω στο ένα μέτρο, κι όλο ψήλωνε και μέστωνε καθώς τον κοιτούσαν. Για την ακρίβεια, μεγάλωνε όπως τα δέντρα, λίγο πριν.

«Και είναι ζωντανός – ε... αναμμένος!» είπε ο Ντίγκορυ. Είχε δίκιο. Μα ο ήλιος ήταν τόσο δυνατός, που δεν ξεχώριζες τη φλογίτσα μέσα στο φανάρι, εκτός κι αν τη σκέπαζε η σκιά σου.

«Μυστήριο! Μεγάλο μυστήριο!» μουρμούρισε ο Θείος Ανδρέας. «Τέτοια μάγια δεν τα 'χω δει ούτε

117

στ' όνειρό μου. Σ' αυτό τον κόσμο όλα γεννιούνται και μεγαλώνουν. Ακόμα κι οι φανοστάτες! Ποιος ξέρει από τι σπόρο φυτρώνουν...»

«Δε βλέπεις; είπε ο Ντίγκορυ. «Σ' αυτό το σημείο έπεσε ο στύλος που 'χε ξεριζώσει η Μάγισσα από το φανοστάτη του σπιτιού μας. Μπήχτηκε στο χώμα, και τώρα ξαναφυτρώνει καινούριος φανοστάτης». (Όχι και τόσο καινούριος τώρα πια: ώσπου να τελειώσει τη φράση του ο Ντίγκορυ, ο φανοστάτης τον είχε περάσει στο μπόι).

«Είναι καταπληκτικό! Τρομερό!» ξανάπε ο Θείος Ανδρέας τρίβοντάς τα χέρια του πιο δυνατά από κάθε άλλη φορά. «Χα, χα, χα! Και να σκεφτείς πως όλοι γελούσαν με τα μαγικά μου. Και η ανόητη η αδερφή μου με περνάει για τρελό. Τώρα να δω τι θα πούνε! Ανακάλυψα έναν κόσμο όπου τα πάντα είναι ζωντανά και μεγαλώνουν. Κολόμβος, σου λέει ο άλλος! Τι μετράει η Αμερική μπροστά σε τούτο δω; Αυτή η χώρα έχει απεριόριστες δυνατότητες. Φέρνεις, ας πούμε, παλιοσίδερα. Τα θάβεις, και φυτρώνουν καινούριες ατμομηχανές, πολεμικά καράβια, κι ό,τι άλλο τραβάει η ψυχή σου. Όλα τζάμπα. Με το τίποτα. Κι έπειτα τα πουλάς στην Αγγλία, στην κανονική τιμή. Θα γίνω εκατομμυριούχος! Αμ' το κλίμα; Νιώθω κιόλας είκοσι χρόνια νεότερος. Θα φτιάξω αναρρωτήρια. Μια καλή κλινική εδώ πέρα θα μου αφήνει καθαρές είκοσι χιλιάδες λίρες το χρόνο. Φυσικά, θα βάλω κι άλλους στο κόλπο. Πρώτα όμως πρέπει να σκοτώσω το θηρίο».

«Φτυστός η Μάγισσα είσαι και συ» είπε η Πόλυ. « Όλο τα φονικά έχεις στο νου σου».

«Κι εγώ» συνέχισε ο Θείος Ανδρέας, βυθισμένος στο ευτυχισμένο όνειρό του, «ποιος ξέρει πόσα χρόνια θα ζήσω αν μείνω εδώ. Κι αυτό είναι μεγάλη υπόθεση, όταν έχεις πατημένα τα εξήντα. Διόλου απίθανο να μη γεράσω ούτε μέρα σε τέτοιον τόπο. Καταπληκτικό! Η Χώρα της Νιότης!» «Αχ!» έκανε ο Ντίγκορυ. «Η Χώρα της Νιότης! Λες να 'ναι αλήθεια;» Γιατί, όπως μαντεύετε, θυμήθηκε τι είχε πει η Θεία Λέτυ σε κείνη την κυρία με τα σταφύλια, και μια γλυκιά ελπίδα τον πλημμύρισε. «Καλέ θείε» είπε, «πιστεύεις πως θα 'χει εδώ πέρα τίποτα να γιατρέψει τη μαμά μου;»

«Δεν είμαστε καλά!» απάντησε ο Θείος Ανδρέας. «Τι το πέρασες; Φαρμακείο; Άλλο εννοούσα εγώ –» «Καρφάκι δε σου καίγεται για τη μαμά» αγρίεψε ο Ντίγκορυ. «Κι εγώ έλεγα πως τη νοιάζεσαι. Στο κάτω κάτω, αδερφή σου είναι – δεν είναι μόνο μητέρα μου. Μα δεν πειράζει. Θα ρωτήσω το Λιοντάρι. Ίσως αυτό μπορεί να με βοηθήσει». Έκανε μεταβολή κι απομακρύνθηκε με γρήγορο βήμα. Η Πόλυ κοντοστάθηκε, κι έπειτα τον ακολούθησε.

«Έι! Ψιτ! Στάσου! Γύρνα πίσω! Πάει, του 'στριψε!» φώναξε ο Θείος Ανδρέας. Κι ακολούθησε τα παιδιά – σε κάποια απόσταση, εννοείται, γιατί ούτε ν' αφήσει τα πράσινα δαχτυλίδια ήθελε, ούτε και να πλησιάσει πολύ το Λιοντάρι.

Σε λίγα λεπτά, ο Ντίγκορυ έφτασε στην άκρη του δάσους, κι εκεί σταμάτησε. Το Λιοντάρι τραγουδούσε πάντα, και το τραγούδι είχε αλλάξει πάλι. Τώρα ξεχώριζες κάποιο σκοπό – πιο άγριο: σ' έκανε να θες να τρέξεις, να πηδήξεις, να σκαρφαλώσεις και να φωνάξεις δυνατά, να ορμήσεις σ' όποιον βρεις μπροστά σου για ν' αγκαλιαστείτε ή να παλέψετε. Ο Ντίγκορυ φούντωσε και κοκκίνισε. Όμως κι ο Θείος Ανδρέας κάτι πρέπει να 'παθε απ' το τραγούδι, γιατί

119

ο Ντίγκορυ τον άκουσε που έλεγε: «Μάλιστα, φίλε μου. Το λέει η καρδιά της. Κρίμα που είναι τόσο οξύθυμη. Πάντως, σπουδαία γυναίκα! Σπουδαία γυναίκα, μα την πίστη μου!» Αλλά ό,τι κι αν έκανε το τραγούδι στους ανθρώπους, δεν ήταν τίποτα μπροστά σ' αυτό που έκανε σ' όλο τον τόπο, γύρω γύρω.

Μπορεί να βάλει ο νους σας μια έκταση απέραντη, καταπράσινη, να βράζει σαν το νερό στην κατσαρόλα; Γιατί μόνο έτσι μπορώ να σας περιγράψω αυτό που γινόταν. Απ' όλες τις μεριές, δεξιά κι αριστερά, το χώμα φούσκωνε και πέταγε καμπούρες. Καμπούρες κάθε λογής, άλλες σαν μυρμηγκοφωλιές, άλλες σαν καροτσάκια, και δύο σαν μικρά καλύβια. Και οι καμπούρες σάλευαν κι όλο φούσκωναν, ώσπου στο τέλος έσκασαν, κι από μέσα τους χύθηκαν χώματα, και μέσα απ' τα χώματα βγήκαν του κόσμου τα ζώα. Βγήκαν οι τυφλοπόντικες, όπως τους βλέπεις να ξετρυπώνουν και στην Αγγλία. Βγήκαν οι σκύλοι, που μόλις ελευθέρωσαν το κεφάλι τους άρχισαν να γαβγίζουν, κι όλο έσπρωχναν για να περάσουν, όπως κάνουν στις στενές τρύπες του φράχτη. Τα πιο παράξε-

να ήταν τα ελάφια: πρώτα έβγαιναν τα κέρατά τους, και στην αρχή ο Ντίγκορυ τα πέρασε για δεντράκια. Τα βατράχια, που ξεφύτρωναν στην ποταμιά, έδιναν έναν πήδο και, πλατς, έπεφταν στο νερό κοάζοντας. Ο πάνθηρας, η λεοπάρδαλη και τ' άλλα αιλουροειδή βάλθηκαν αμέσως να καθαρίσουν τα χώματα απ' τα πισινά τους, κι έπειτα σηκώθηκαν κι ακόνισαν στους κορμούς των δέντρων τα νύχια των μπροστινών ποδιών. Βροχή κατέβηκαν από τα δέντρα τα πουλιά, κι οι πεταλούδες τίναξαν τα φτερά τους. Οι μέλισσες έπιασαν δουλειά στα λουλούδια, λες και δεν είχαν ούτε στιγμή για χάσιμο. Μα το μεγάλο χάζι ήταν η πελώρια καμπούρα, που έσκασε σαν να γινότανε μικρός σεισμός, και φάνηκε η κυρτή ράχη, το μεγάλο σοφό κεφάλι, και τα χοντρά πόδια του ελέφαντα, με τα φαρδιά σουρωτά μπατζάκια τους. Τώρα πια, δύσκολα ξεχώριζες το τραγούδι του Λιονταριού, γιατί ο αέρας είχε γεμίσει βρυχηθμούς και μουκανίσματα, κρωξίματα και τιτιβίσματα, νιαουρητά, γαβγίσματα και ουρλιαχτά και ρουθουνίσματα.

Η φωνή του Λιονταριού δεν ακουγόταν, όμως ο

Ντίγκορυ δεν τ' άφηνε απ' τα μάτια του. Ήταν πελώριο κι αστραφτερό, δε χόρταινες να το κοιτάζεις. Κανένα ζώο δεν έδειχνε να το φοβάται. Πίσω του, ο Ντίγκορυ άκουσε οπλές να κροτούν δυνατά, και σαν αστραπή τον πέρασε το γέρικο άλογο του αμαξά κι έσμιξε με τ' άλλα ζωντανά. Φαίνεται πως ο αέρας του είχε κάνει καλό, όπως και του Θείου Ανδρέα. Δε θύμιζε πια το γερο-χαμάλη του Λονδίνου. Έτρεχε λυγίζοντας τα πόδια περήφανα, με το κεφάλι ψηλά. Τώρα, για πρώτη φορά, το Λιοντάρι σώπασε κι άρχισε να επιθεωρεί τα ζώα. Και κάθε λίγο πλησίαζε δυο ζώα (πάντα δυο κάθε φορά), κι άγγιζε τη μύτη του στη δική τους. Άγγιξε μοναχά δυο κάστορες από όλους τους κάστορες, και δύο πάνθηρες, και δυο ελάφια απ' όλα τα ελάφια, και τ' άλλα τ' άφησε. Μερικά είδη τα προσπέρασε χωρίς να τους δώσει σημασία. Κι όσα ζευγάρια άγγιζε, άφηναν αμέσως τα όμοιά τους και το ακολουθούσαν. Στο τέλος, το Λιοντάρι σταμάτησε, και γύρω του στάθηκαν τα εκλεκτά ζώα, σ' έναν πελώριο κύκλο. Κι όσα δεν είχε αγγίξει πήραν δρόμο και σκορπίστηκαν. Σιγά σιγά οι φωνές τους έσβησαν πέρα μακριά. Τα διαλεχτά που έμειναν σώπασαν τώρα και κοιτούσαν το Λιοντάρι. Μόνο τα αιλουροειδή κουνούσαν κάπου κάπου την ουρά. Τίποτ' άλλο δε φαινόταν να σαλεύει. Πρώτη φορά τη μέρα εκείνη έπεσε τέτοια σιγαλιά. Άκουγες μόνο το φλοίσβο του νερού. Η καρδιά του Ντίγκορυ πήγαινε να σπάσει. Το 'ξερε πως κάτι πολύ επίσημο θα γίνει. Βέβαια, δεν είχε ξεχάσει τη μητέρα του, αλλά το καταλάβαινε πως ούτε για το χατίρι της δε θα μπορούσε να διακόψει αυτή την τελετή.

Το Λιοντάρι, χωρίς να παίξει βλέφαρο, κοιτούσε τα ζώα, τόσο επίμονα, λες κι ήθελε να τα κάψει με τη ματιά του. Και σιγά σιγά τα ζώα άρχισαν ν' αλλάζουν. Τα μικρόσωμα – λαγοί, ποντίκια και τα παρόμοια – μεγάλωσαν πολύ, και τα μεγάλα – αυτό φάνηκε ιδιαίτερα στους ελέφαντες – μίκρυναν λιγάκι. Πολλά ζώα σηκώθηκαν στα πισινά τους πόδια. Άλλα έγειραν το κεφάλι στο πλάι, σαν να προσπαθούσαν να καταλάβουν. Το Λιοντάρι άνοιξε το στόμα του – μα ήχος κανένας δε βγήκε, μόνο η ανάσα του. Μια ανάσα μεγάλη και ζεστή, που αγκάλιασε όλα τα ζώα και τα 'κανε να σαλέψουν, όπως ο άνεμος τα

δέντρα. Ψηλά, πίσω απ' το πέπλο του γαλάζιου ουρανού που τα 'κρυβε, τ' αστέρια τραγούδησαν πάλι: μια μελωδία δύσκολη, ψυχρή και πεντακάθαρη. Και τότε μια αστραπή, μια φλόγα (που δεν έκαψε κανέναν) τινάχτηκε απ' τον ουρανό, ίσως κι απ' το Λιοντάρι, και τα παιδιά ένιωσαν την καρδιά τους να σκιρτά καθώς αντήχησε η φωνή – μια φωνή πιο βαθιά κι αλλόκοτη απ' όσες είχαν ακούσει ποτέ τους:
«Νάρνια... Νάρνια... Νάρνια, ξύπνα. Νάρνια, αγάπα. Νάρνια, σκέψου. Νάρνια, μίλα. Τα δέντρα κάνουνε φτερά. Τα ζώα παίρνουνε μιλιά. Ευλογημένα τα νερά».

KEΦAΛAIO ΔEKATO

Το πρώτο αστείο, και κάποιες άλλες υποθέσεις

Ήταν η φωνή του Λιονταριού. Βέβαια, τα παιδιά το είχαν νιώσει ώρα πριν πως το Λιοντάρι μπορούσε να μιλάει – αλλά στο άκουσμα της φωνής του, μεγάλη κι όμορφη και τρομερή ταραχή τα κυρίεψε.

Και τότε, πλάσματα μυστήρια βγήκαν από τα δέντρα: θεοί των δασών και θεές, κι από κοντά φαύνοι, σάτυροι και νάνοι. Κι απ' το ποτάμι αναδύθηκε ο θεός του ποταμού κι οι κόρες του οι Ναϊάδες. Κι όλοι μαζί, κι όλα τα ζώα και τα πουλιά, καθένα με τη δική του φωνή, βαθιά και ψηλή, χοντρή και καμπανιστή, αποκρίθηκαν:

«Χαίρε, Ασλάν. Ακούμε και υπακούμε. Ξυπνήσαμε. Αγαπάμε. Σκεφτόμαστε. Μιλάμε. Και τώρα ξέρουμε».

«Μόνο που δεν ξέρουμε και πολλά, με το συμπάθιο δηλαδή» πετάχτηκε στη μέση μια φωνή ρουθουνιστή,

124

σαν να μιλούσε κάποιος με τη μύτη. Τα παιδιά τα έχασαν γιατί είδαν πως είχε μιλήσει το άλογο του αμαξά.

«Ο καημένος ο Φραουλής!» είπε η Πόλυ. «Τι καλά που τον διάλεξε το Λιοντάρι και του 'δωσε μιλιά!» Κι ο αμαξάς, που τώρα βρισκόταν πλάι στα παιδιά, μουρμούρισε: «Μα την πίστη μου! Πάντα το 'λεγα εγώ πως αυτό το άλογο έχει μυαλό!»

«Πλάσματα ζωντανά! Σας δίνω τον εαυτό σας» α- ντήχησε δυνατή κι ευτυχισμένη η φωνή του Ασλάν. «Σας παραδίνω στους αιώνες τούτη τη γη της Νάρ- νια. Σας δίνω τα ποτάμια, τους καρπούς, τα δάση. Σας δίνω εμένα, και σας δίνω τ' άστρα. Δικά σας εί- ναι τα βουβά ζώα που δε διάλεξα. Να τους φερθείτε

ωραία και να τα χαρείτε, αλλά προσέξτε μην αποκτήσετε ξανά τους δικούς τους τρόπους, γιατί τότε θα πάψετε να 'στε Ζώα Που Μιλούν. Κι όπως σας διάλεξα απ' τα βουβά, στα ίδια θα ξαναγυρίσετε. Το νου σας!»

«Όχι, Ασλάν, ποτέ, ποτέ!» απάντησαν όλα μαζί. Και μια ζωηρούτσικη Καλιακούδα πρόσθεσε μεγαλόφωνα: «Καλέ, μη φοβάσαι!» Κι επειδή κανένας δε μιλούσε την ώρα που πετάχτηκε η Καλιακούδα, και τα λόγια της αντήχησαν δυνατά μες στην απόλυτη σιωπή, καταλαβαίνετε σε τι δύσκολη θέση βρέθηκε η καημένη και πόσο ντροπιάστηκε. Κι ήταν τέτοια η ντροπή της, που έκρυψε με το φτερό το κεφάλι της, σαν να 'θελε να κοιμηθεί. Κι όλα τ' άλλα ζώα άρχισαν να βγάζουν παράξενες φωνές, γιατί έτσι ήξεραν να γελούν – κι ήταν φωνές ανήκουστες στον κόσμο μας. Πήγαν βέβαια να πνίξουν τα γέλια, μα ο Ασλάν είπε:

«Γελάστε άφοβα!» Τώρα πια είσαστε ζώα με μιλιά και λογικό, κι η σοβαρότητα δεν είναι πάντα απαραίτητη. Μαζί με τη μιλιά πηγαίνει και το χωρατό, και η. δικαιοσύνη».

Τα ζώα ξέσπασαν και γέλασαν με την καρδιά τους. Κι έγινε τέτοιο πανηγύρι, που η Καλιακούδα ξεθάρρεψε, και πέταξε στο κεφάλι του Φραουλή, κούρνιασε ανάμεσα στ' αυτιά του, και χτύπησε τα φτερά της.

«Ασλάν! Ασλάν!» φώναξε. «Εγώ έκανα το πρώτο αστείο; Και θα το μάθουν όλοι πως το πρώτο αστείο το 'κανα εγώ;»

«Όχι, μικρή μου φίλη» είπε το Λιοντάρι. «Δεν έκανες το πρώτο αστείο. Είσαι το πρώτο αστείο!» Κι όλοι γέλασαν πιο δυνατά από πρώτα. Την Καλιακούδα δεν την ένοιαξε. Ξεκαρδίστηκε κι αυτή στα γέλια,

126

ώσπου, με τα πολλά, το άλογο τίναξε το κεφάλι του, η Καλιακούδα παραπάτησε, πήγε να πέσει, μα θυμήθηκε πάνω στην ώρα πως είχε φτερά (ήταν καινούρια, βλέπετε, και δεν τα 'χε συνηθίσει), και γλίτωσε

την τούμπα.

«Και τώρα» είπε ο Ασλάν, «η Νάρνια ιδρύθηκε. Από δω και μπρος πρέπει να 'χουμε το νου μας, να φροντίζουμε για την ασφάλειά της. Μερικοί από σας θα γίνετε σύμβουλοί μου. Έλα κοντά μου, Αρχηγέ των Νάνων, και συ Θεέ του Ποταμού, και συ Βελανιδιά και Κουκουβάγια, και τα δυο Κοράκια κι ο Ελέφαντας. Θέλω να κουβεντιάσουμε. Γιατί σ' αυτό τον κόσμο, που δεν έκλεισε πέντε ωρών ζωή, πάτησε κιόλας το Κακό».

Τον ζύγωσαν τα πλάσματα που διάλεξε, κι ο Ασλάν τα πήρε και προχώρησαν προς την ανατολή. Και τα υπόλοιπα άρχισαν να μιλούν όλα μαζί: «Καλέ, τι λέει πως πάτησε τον κόσμο μας; – Τοκακό; – Τι 'ναι πάλι αυτό το Τοκακό; – Μπα, δεν είπε Τοκακό, Τόκα Κο είπε. – Και τι θα πει Τόκα Κο;»

«Πόλυ» είπε ο Ντίγκορυ, «πρέπει να πάω να βρω τον Ασλάν – δηλαδή το Λιοντάρι. Πρέπει να του μιλήσω».

«Μπορεί να μην κάνει. Εγώ πάντως δεν τολμάω».

«Πρέπει» ξανάπε ο Ντίγκορυ. «Θέλω να του πω για τη μαμά μου. Αν υπάρχει κάτι που μπορεί να τη γιατρέψει, μόνο το Λιοντάρι θα μου το δώσει».

«Θα 'ρθω μαζί σου» πετάχτηκε ο αμαξάς. «Εμένα μ' αρέσει η φάτσα του. Και τ' άλλα ζώα – δε φαντάζομαι να μας ριχτούν. Κι ύστερα, έχω να πω δυο λογάκια του Φραουλή μου».

Ξεκίνησαν κι οι τρεις με θάρρος – τουλάχιστον με όσο θάρρος είχαν – και πλησίασαν τα ζώα. Ήταν τόσο απορροφημένα απ' την κουβέντα κι απ' τις καινούριες τους φιλίες, ώστε δεν πρόσεξαν τους τρεις ανθρώπους, παρά μονάχα όταν έφτασαν πολύ κοντά. Δεν πήραν είδηση ούτε το Θείο Ανδρέα, που καθόταν παράμερα, με τα κουμπωτά του μποτάκια, κι έτρεμε σύγκορμος και φώναζε (μα όχι πολύ δυνατά):

«Ντίγκορυ! Γύρνα πίσω! Γύρνα πίσω αμέσως, είπα! Σου απαγορεύω να προχωρήσεις έστω κι ένα βήμα!»

Όταν πια βρέθηκαν ανάμεσα στα ζώα, εκείνα στα-

μάτησαν την κουβέντα και τους περιεργάστηκαν.
«Μπα!» είπε ο Κάστορας. «Μα τον Ασλάν, τι φρούτα είν' αυτά εδώ;»
«Σας παρακαλώ» άρχισε ο Ντίγκορυ, λίγο ξεψυχισμένα. Ο Λαγός δεν τον άφησε να συνεχίσει: «Εγώ λέω πως θα 'ναι τίποτα παραμεγαλωμένα λάχανα!» «Όχι, όχι! Δεν είμαστε λάχανα! Λόγω τιμής!» μπήκε στη μέση η Πόλυ. «Εμείς δεν τρωγόμαστε με τίποτα!»
«Τσ τσ τσ!» έκανε ο Τυφλοπόντικας. «Καλέ, αυτοί μιλάνε! Πού ακούστηκε λάχανο με φωνή;»
«Μπορεί να 'ναι το Δεύτερο Αστείο» είπε η Καλιακούδα.
Κι ο Πάνθηρας, που έπλενε το πρόσωπό του, στάθηκε μια στιγμή: «Και δεν πά' να 'ναι! Το Πρώτο Αστείο ήταν καλύτερο. Εξάλλου, δεν τους βρίσκω καθόλου αστείους». Και χασμουρήθηκε φαρδιά πλατιά πριν ξαναπιάσει το πλύσιμο.
«Σας παρακαλώ» είπε ο Ντίγκορυ, «είμαι πολύ βιαστικός. Πρέπει να δω το Λιοντάρι».
Στο μεταξύ, ο αμαξάς προσπαθούσε να τραβήξει την προσοχή του Φραουλή, και στο τέλος τα κατάφερε. «Φραουλή μου, αγοράκι μου» είπε. «Με ξέρεις, και με καλοξέρεις μάλιστα. Μη μου καμώνεσαι πως δε μ' έχεις ξαναδεί!»
«Καλέ Άλογο, τι λέει αυτό το Πράγμα;» πετάχτηκαν κάμποσες φωνές μαζί.
«Δεν είμαι σίγουρος» απάντησε αργά αργά ο Φραουλής. «Νομίζω πως οι περισσότεροι δεν ξέρουμε ακόμα πολλά. Όμως... Σαν να τον έχω ξαναδεί κάπου. Μου φαίνεται σαν να 'χω ζήσει κάπου αλλού – πως ήμουν κάτι άλλο πριν μας ξυπνήσει ο Ασλάν, μα είναι όλα μπερδεμένα, σαν όνειρο. Και μέσα στο

129

δικό μου όνειρο είχε τέτοια Πράγματα».

«Τι! Ώστε δε με ξέρεις;» φώναξε ο αμαξάς. «Εμένα που σου 'φερνα ζεστή σουπίτσα τα βράδια που αρρώσταινες; Που σε ξύστριζα και σε πάστρευα; Εμένα που δε σ' άφησα ούτε μια φορά ξέσκεπο στο κρύο; Τι να σου πω, βρε Φραουλή! Δεν το περίμενα ποτέ από σένα».

«Σαν κάτι να θυμάμαι» είπε συλλογισμένο το άλογο. «Α, μάλιστα. Για να σκεφτώ! Βέβαια. Μου 'δενες πίσω μου ένα απαίσιο μαύρο πράγμα, κι έπειτα με μαστίγωνες για να τρέχω. Μα όπου και να πήγαινα, το μαύρο πράγμα με ακολουθούσε, κι έκανε κρακ κρακ κρακ!»

«Δεν καταλαβαίνεις; Έπρεπε να βγάλουμε το ψωμάκι μας» είπε ο αμαξάς. «Και το δικό σου ψωμί, και το δικό μου. Χωρίς δουλειά και καμουτσίκι, δε θα 'χε στάβλο και σανό, ούτε σούπα και βρώμη. Α, μη μου πεις: η βρώμη δε σου έλειψε ποτέ, έτσι και περίσσευε καμιά πεντάρα. Η αλήθεια να λέγεται!»

«Βρώμη;» είπε το άλογο και τέντωσε τ' αυτιά του. «Σαν κάτι να θυμάμαι. Α, μάλιστα. Όσο πάει, όλο και περισσότερα θυμάμαι. Εσύ καθόσουνα πάντα πίσω, κάπου ψηλά, κι εγώ έτρεχα μπροστά κι έσερνα το μαύρο πράγμα, κι εσένα μαζί. Όλη τη δουλειά εγώ την έκανα».

«Αν πεις για το καλοκαίρι, σύμφωνοι» απάντησε ο αμαξάς. «Εσύ άναβες και ίδρωνες, κι εγώ καθόμουνα στα δροσερά μου. Μα το χειμώνα, φιλαράκο; Εσύ έτρεχες, κι ούτε κρύωνες ούτε τίποτα. Εμένα όμως πάγωναν τα πόδια μου, κόντευε να μου πέσει η μύτη απ' το αγιάζι, τα χέρια μου ξύλιαζαν και δεν ένιωθα το χαλινάρι».

«Άγρια χώρα ήταν. Πολύ σκληρή» είπε ο Φραου-

130

λής. «Ούτε χορτάρι πουθενά. Μόνο πέτρες, θεόσκληρες».

«Δεν έχεις άδικο, παλιόφιλε. Συμφωνώ απόλυτα» είπε ο αμαξάς. «Δύσκολος κόσμος, και σκληρός. Το έλεγα εγώ πως τα ξεθεώνει τ' αλογάκια το λιθόστρωτο. Λονδίνο είν' αυτό! Αλλά θαρρείς πως εμένα μ' άρεσε; Εσύ ήσουν άλογο της εξοχής κι εγώ χωριάτης. Στο χωριό μου, έψελνα στην εκκλησία. Τι τα θες; Δεν είχε ψωμί εκεί πέρα».

«Αχ, σε παρακαλώ» είπε ο Ντίγκορυ. «Δεν κάνει να περάσουμε; Το Λιοντάρι φεύγει, κι είναι μεγάλη ανάγκη να του μιλήσω».

«Κοίτα δω Φραουλή μου» είπε ο αμαξάς. «Το παλικαράκι από δω έχει κάτι να πει του Λιονταριού – του Ασλάν, που λέτε κι εσείς. Δεν τον παίρνεις στη ράχη σου να τον πετάξεις ίσαμε κει; Ξέρω πως δε θα του ξινοπέσει. Όσο για μένα και το κοριτσάκι – πάμε και με τα πόδια».

«Στη ράχη μου;» είπε ο Φραουλής. «Α, τώρα κατάλαβα. Να κάτσει καβάλα, ε; Σαν κάτι να μου θυμίζει αυτό... Ένα από σας τα δίποδα, ένα μικρούτσικο, που καθόταν πάνω μου, πολύ πολύ παλιά. Και με τάιζε κάτι άσπρα τετράγωνα πλακάκια. Όμορφα που ήτανε! Πιο γλυκά κι απ' το χορτάρι».

«Α, ζάχαρη!» είπε ο αμαξάς.

«Σε παρακαλώ, Φραουλή» είπε ο Ντίγκορυ. «Σε παρακαλώ, πάρε με να με πας στον Ασλάν!»

«Ας είναι. Μικρό το κακό» είπε το Άλογο. «Μόνο για μια φορά όμως, ε; Άντε, ανέβα!»

Ο Φραουλής μου είναι λεβεντιά» είπε ο αμαξάς. «Έλα, παλικάρι μου, έλα να σ' ανεβάσω». Και μια και δυο, ο Ντίγκορυ βρέθηκε καβάλα στον Φραουλή, βολεμένος περίφημα και δίχως σέλα, γιατί ήταν μα-

131

θημένος από το δικό του αλογάκι, στο χωριό.

«Ντέεε, Φραουλή» είπε.

«Δε μου λες, μήπως έχεις κατά λάθος από κείνο το άσπρο που λέγαμε;» είπε το άλογο.

«Αχ, όχι, δυστυχώς όχι» είπε ο Ντίγκορυ.

«Καλά, θα ζήσω και χωρίς αυτό» είπε ο Φραουλής, και ξεκίνησαν.

Τότε ακριβώς πετάχτηκε ένα μεγάλο Μπουλντόγκ, που όλο μύριζε και τους κοιτούσε επίμονα: «Κοιτάξτε! Έχει κι άλλο παράξενο πλάσμα σαν κι αυτά. Να, εκεί πέρα, στην ποταμιά, μέσα στα δέντρα».

Τα ζώα γύρισαν, κι είδαν το Θείο Ανδρέα που παράσταινε το άγαλμα μέσα στις πικροδάφνες, ελπίζοντας πως δε θα τον πάρουν είδηση.

«Πάμε» φώναξαν μερικά, «πάμε να δούμε!» Κι έτσι, την ώρα που ο Φραουλής κάλπαζε περήφανα κουβαλώντας τον Ντίγκορυ στην αντίθετη κατεύθυνση (ενώ η Πόλυ με τον αμαξά ακουλουθούσαν με τα πόδια), ένα σωρό ζώα όρμησαν στο Θείο Ανδρέα, με μουγκρητά, γαβγίσματα, γρυλίσματα, κι όλου του κόσμου τις φωνές, περίεργες και χαρούμενες.

Τώρα θα πρέπει να γυρίσουμε λιγάκι πίσω, για να σας εξηγήσω πώς είχε δει την προηγούμενη σκηνή ο Θείος Ανδρέας. Εκεινού δεν του 'χε κάνει εντύπωση, όπως του αμαξά και των παιδιών. Γιατί ό,τι ακούς κι ό,τι βλέπεις εξαρτάται, πρώτα πρώτα, από το πού βρίσκεσαι, κι έπειτα από το τι άνθρωπος είσαι.

Από την πρώτη στιγμή που γεννήθηκαν τα ζώα, ο Θείος Ανδρέας άρχισε να χώνεται όλο και πιο βαθιά στο σύδεντρο. Δεν τ' άφηνε απ' τα μάτια του – μα δεν είχε και καμιά περιέργεια να δει τι κάνουν. Απλώς, είχε το νου του μην τυχόν και του χιμήξουν. Ήταν

132

πρακτικό μυαλό, σαν τη Μάγισσα. Τρομερά πρακτικό. Δεν πρόσεξε λοιπόν πως ο Ασλάν διάλεξε τα ζευγάρια. Είδε μόνο – ή νόμιζε πως είδε – ένα κοπάδι επικίνδυνα θηρία που τριγύριζαν αμολητά, κι απορούσε μάλιστα γιατί δεν το βάζουν στα πόδια να γλιτώσουν από το Λιοντάρι.

Κι όταν ήρθε η μεγάλη στιγμή και τα ζώα πήραν φωνή, ο θείος πάλι δεν κατάλαβε τίποτα – και βέβαια είχε το λόγο του. Από τότε που πρωτάρχισε να τραγουδάει το Λιοντάρι, ο θείος το 'νιωσε πως ακούει κάποιο τραγούδι, μα δεν ήθελε να το παραδεχτεί γιατί τον έκανε να σκέφτεται πράγματα που δεν είχε καμιά όρεξη να σκεφτεί. Έπειτα, όταν βγήκε ο ήλιος κι ανακάλυψε τι ήταν ο τραγουδιστής («σκέτο λιοντάρι», είπε μέσα του), βάλθηκε να πιστέψει πως το Λιοντάρι δεν τραγουδούσε, ούτε είχε τραγουδήσει λίγο πριν: βρυχιόταν μόνο, σαν όλα τα λιοντάρια στους ζωολογικούς κήπους του κόσμου μας. «Μα φυσικά, αποκλείεται να τραγουδάει» σκέφτηκε. «Μάλλον θα το φαντάστηκα. Τα νεύρα μου είναι τεντωμένα. Έγινε ποτέ λιοντάρι που τραγουδάει;» Κι όσο πιο όμορφα τραγουδούσε το Λιοντάρι, τόσο πάλευε ο Θείος Ανδρέας να πιστέψει πως ακούει βρυχηθμούς. Κι όταν προσπαθείς να γίνεις πιο βλάκας απ' όσο είσαι, υπάρχει ένας κίνδυνος: να τα καταφέρεις. Ε λοιπόν, κι ο Θείος Ανδρέας τα κατάφερε! Σε λίγο, απ' το τραγούδι του Ασλάν άκουγε μόνο βρυχηθμούς. Και σε λίγο ακόμα δε θα μπορούσε ν' ακούσει τίποτ' άλλο, έστω κι αν άλλαζε γνώμη. Στο τέλος, όταν το Λιοντάρι μίλησε, και είπε «Νάρνια, ξύπνα», ο θείος πάλι δεν άκουσε λόγια – μόνο μουγκρητά. Κι όταν τα ζώα πήραν φωνή και του αποκρίθηκαν, εκείνος άκουσε μόνο γαβγίσματα και γρυλίσματα κι αλυχτί-

133

σματα και τα παρόμοια. Κι αν πείτε για τότε που γέλασαν τα ζώα – σας αφήνω να το φανταστείτε μόνοι σας. Χειρότερο πράγμα δεν είχε ξαναντικρίσει στη ζωή του: μια τρομερή αγέλη αιμοβόρα θηρία. Ώσπου – με φρίκη, αλλά και μεγάλη αγανάκτηση – είδε τρεις ανθρώπους να πλησιάζουν το ξέφωτο και τα ζώα.

«Τους βλάκες!» είπε μέσα του. «Τώρα τα θηρία θα φάνε και τα δαχτυλίδια μαζί με τα παιδιά, και δε θα μπορώ να γυρίσω πίσω. Τι εγωίσταρος που είναι αυτός ο Ντίγκορυ! Μα – σάμπως κι οι άλλοι πάνε πίσω; Μωρέ άσ' τους να κόψουνε το λαιμό τους, γυρεύοντας πάνε. Σκασίλα μου! Όμως – εμένα δε με σκεφτήκανε; Μπα, πού να με σκεφτούνε! Ποιος με σκέφτεται εμένα;»

Στο τέλος, όταν όλα τα ζώα όρμησαν καταπάνω του, ο θείος έκανε μεταβολή και το 'βαλε στα πόδια να γλιτώσει. Τώρα πια, ήταν ολοφάνερο πως ο αέρας του καινούριου κόσμου είχε ωφελήσει απίστευτα τον ηλικιωμένο κύριο. Στο Λονδίνο, ένιωθε τόσο γέρος, που ποτέ δε θα του πέρναγε απ' το νου να τρέξει.

134

Τώρα, με τη φόρα που είχε πάρει, θα κέρδιζε άνετα το δρόμο εκατό μέτρων σ' όλα τα γυμνάσια της Αγγλίας. Ανέμιζαν οι ουρές της βελάδας του, και το θέαμα ήταν σπουδαίο. Όμως, του κάκου προσπαθούσε. Από τα ζώα που τον είχαν πάρει το κατόπι, τα πιο πολλά ήταν γρήγορα. Πρώτη φορά στη ζωή τους έβρισκαν ευκαιρία να τρέξουν, και δεν έβλεπαν την ώρα να χρησιμοποιήσουν τα καινούρια πόδια τους. «Απάνω του! Απάνω του!» φώναζαν. «Αυτό θα είναι το Τοκακό! Χοπ! Χοπ! Τρέξτε! Κυκλώστε το! Κόψτε του το δρόμο! Άιντε! Ζήτω!»

Σε λίγα λεπτά, μερικά ζώα τού είχαν βγει μπροστά. Έκαναν γραμμή και του 'κλεισαν το δρόμο, κι άλλα τον έκλεισαν από τα νώτα. Όπου και να κοιτούσε, λαχτάρα μεγάλη τον περίμενε. Πάνω του ορθώνονταν κέρατα πελώριων ελαφιών, κι η τεράστια προβοσκίδα του ελέφαντα. Βαριές βλοσυρές αρκούδες και αγριόχοιροι μούγκριζαν πίσω του. Μια ατάραχη λεοπάρδαλη κι ένας πάνθηρας με έκφραση ειρωνική (έτσι του φάνηκε) τον κοιτούσαν κατάματα κουνώ-

135

ντας την ουρά τους. Το πιο φριχτό απ' όλα ήταν, όμως, τα ανοιχτά τους στόματα. Στην πραγματικότητα, τα ζώα είχαν το στόμα ανοιχτό γιατί λαχάνιαζαν απ' την τρεχάλα, μα ο θείος πίστεψε πως ετοιμάζονταν να τον κατασπαράξουν.

Στάθηκε ο Θείος Ανδρέας τρέμοντας, μια από δω έκανε να φύγει, και μια από κει. Ποτέ του δεν τα χώνεψε τα ζώα, ούτε στις καλές του, γιατί τα φοβόταν. Κι ύστερα, τόσα χρόνια που έκανε με ζώα τα πιο απάνθρωπα πειράματα, έμαθε να τα φοβάται και να τα μισεί ακόμα πιο πολύ.

«Το λοιπόν, αφεντικό» είπε το Μπουλντόγκ με πολύ υπηρεσιακό ύφος, «είσαι ζώο, φυτό ή ορυκτό;» Το σκυλί είχε μιλήσει να ανθρώπινη φωνή, αλλά ο θείος άκουσε μόνο ένα «Γκρρρρρ – αρρρρ – άουου!»

Ο Ντίγκορυ κι ο θείος την έχουν άσκημα

Θα λέτε, βέβαια, πως τα ζώα ήταν κουτά, γι' αυτό δεν κατάλαβαν αμέσως ότι ο Θείος Ανδρέας ήταν πλάσμα όμοιο με τα παιδιά και με τον αμαξά. Πρέπει όμως να θυμόσαστε πως τα ζώα δεν είχαν ιδέα τι θα πει ρούχο. Φαντάστηκαν λοιπόν ότι το φουστανάκι της Πόλυ και το σακάκι του Ντίγκορυ και το σκληρό καπέλο του αμαξά ήταν μέρη του κορμιού τους, όπως είναι στα ζώα το τρίχωμα και τα φτερά. Μάλιστα, ούτε για τους τρεις πρώτους θα 'παιρναν χαμπάρι πως ανήκουν στο ίδιο είδος, αν δεν τους είχαν μιλήσει, κι αν ο Φραουλής δε θυμόταν κάτι, έστω και αόριστα. Έπειτα, ο Θείος Ανδρέας ήταν ψηλότερος από τα παιδιά, και πιο αδύνατος από τον αμαξά. Φορούσε μαύρα, με μόνη εξαίρεση το άσπρο του γιλέκο (που τώρα πια δεν ήταν και τόσο άσπρο), και το σταχτί τσουλούφι του (που ήταν τώρα αναμαλλιασμέ-

137

νο), γι' αυτό και δεν τους φάνηκε να μοιάζει με τους άλλους τρεις ανθρώπους. Έτσι, όπως ήταν φυσικό, τα σάστισαν. Και, το χειρότερο: αυτό το πλάσμα δε φαινόταν να μιλάει.

Για να λέμε την αλήθεια, το προσπάθησε. Όταν του μίλησε το Μπουλντόγκ (ή, όπως νόμιζε, όταν τον γάβγισε κι έπειτα άρχισε να γρυλίζει), ο Θείος Ανδρέας άπλωσε τρέμοντας το χέρι κι είπε ξεψυχισμένα: «Καλό σκυλάκι, όχου το τσαμένο!». Όμως τα ζώα δεν τον κατάλαβαν, όπως δεν τα καταλάβαινε κι εκείνος, και δεν άκουσαν λόγια – μονάχα κάτι σαν τσιτσίρισμα. Μπορεί και να 'ταν καλύτερα έτσι, γιατί εγώ τουλάχιστον δεν ξέρω κανένα σκύλο – και πολύ λιγότερο ένα Σκύλο της Νάρνια, με ανθρώπινη μιλιά – που να του αρέσει να τον λένε Καλό Σκυλάκι – όπως δεν αρέσει σε κανέναν καθώς πρέπει κύριο να τον λένε Ανθρωπάκι.

Και τότε, ο Θείος Ανδρέας λιποθύμησε – μπαμ και κάτω.

«Να το!» είπε ο Αγριόχοιρος. «Δέντρο ήτανε. Καλά το 'λεγα εγώ!» (Γιατί, μην ξεχνάτε, κανένα ζώο ʾεν είχε δει ποτέ του άνθρωπο να λιποθυμάει – ούτε καν να πέφτει).

Το Μπουλντόγκ, που είχε μυρίσει καλά καλά το Θείο Ανδρέα, σήκωσε το κεφάλι του και είπε: «Ζώο είναι. Σίγουρα. Και μάλλον όμοιο είδος με τ' άλλα».

«Δεν καταλαβαίνω τίποτα» είπε η Αρκούδα. «Δεν υπάρχει ζώο που να πέφτει έτσι. Ζώα δεν είμαστε κι εμείς; Έτσι πέφτουμε; Όχι δα! Εμείς στεκόμαστε όρθια. Ορίστε!» και σηκώθηκε στα πισινά της πόδια, έκανε ένα βήμα πίσω, σκόνταψε στα χαμηλά κλαδιά κι έπεσε τ' ανάσκελα.

«Το Τρίτο Αστείο, το Τρίτο Αστείο, το Τρίτο

Αστείο!» φώναξε η Καλιακούδα ξεκαρδισμένη.

«Κι εγώ σας λέω πως είναι δέντρο» πείσμωσε ο Αγριόχοιρος.

«Αν είναι δέντρο» πετάχτηκε στη μέση η άλλη Αρκούδα, «μπορεί να 'χει και κανένα μελίσσι».

«Εγώ πάντως πάω στοίχημα πως δεν είναι δέντρο» είπε ο Ασβός. ΄ «Σαν να μου φάνηκε πως κάτι είπε

πριν πέσει ξερός».

«Μπα, ο άνεμος ήταν, στα κλαδιά του» είπε ο Αγριόχοιρος.

«Καλέ τι μας λες;» είπε η Καλιακούδα του Ασβού, «Τι τον πέρασες; Ζώο που μιλάει; Αυτός δεν είπε λέξη.

«Ακούστε» είπε η Ελεφαντίνα (γιατί τον Ελέφαντα, όπως θα θυμόσαστε, τον είχε πάρει μαζί του ο Ασλάν). «Διόλου απίθανο να είναι ζώο. Αυτό εδώ το ξασπρουλιάρικο στη μια του άκρη μπορεί να είναι –

κάτι σαν πρόσωπο, ας πούμε. Κι αυτές οι τρύπες, να είναι τα μάτια και το στόμα. Βέβαια, δεν έχει μύτη, αλλά – χμ χμ – ας μην τα θέλουμε όλα δικά μας. Δεν μπορεί να έχει όποιος κι όποιος Κανονική Μύτη». Και ξεδίπλωσε την προβοσκίδα της με δίκαιη περηφάνια.

«Διαμαρτύρομαι εντόνως!» φώναξε το Μπουλντόγκ.

«Καλά λέει η Ελεφαντίνα», είπε ο Τάπιρος.

«Ξέρετε κάτι;» πετάχτηκε το Γαϊδουράκι. «Μπορεί να είναι ζώο που δε μιλάει, αλλά νομίζει πως μιλάει».

«Άραγε μπορεί να σταθεί στα πόδια του;» έκανε συλλογισμένη η Ελεφαντίνα. Έπιασε το παράλυτο σώμα του Θείου Ανδρέα με την προβοσκίδα της, το σήκωσε απαλά, και το 'στησε όρθιο: δυστυχώς, το έστησε με το κεφάλι κάτω, κι έτσι από τις τσέπες του θείου κύλησαν δυο νομίσματα της μισής λίρας, άλλα τρία της μισής κορόνας, κι ένα εξάπενο. Τι το όφελος; Ο Θείος Ανδρέας σωριάστηκε πάλι φαρδύς πλατύς.

«Ορίστε!» είπαν μερικές φωνές. «Δεν είναι ζώο. Αυτό δεν έχει ζωή!»

«Κι εγώ σας λέω πως είναι ζώο!» φώναξε το Μπουλντόγκ. «Μυρίστε και θα σιγουρευτείτε».

«Η μυρωδιά δεν είναι το παν» είπε η Ελεφαντίνα.

«Πριτς!» είπε ο Μπουλντόκ. «Αν δεν μπορείς να εμπιστευτείς τη μύτη σου, τότε τι μπορείς να εμπιστευτείς;»

«Ίσως το μυαλό σου» είπε μαλακά η Ελεφαντίνα.

«Διαμαρτύρομαι εντόνως!» φώναξε το Μπουλντόγκ.

«Έτσι κι αλλιώς, κάτι πρέπει να κάνουμε» είπε η

Ελεφαντίνα. «Μπορεί να είναι το Τοκακό – και πρέπει να το δείξουμε στον Ασλάν. Λοιπόν, τι λέτε; Ζώο ή δέντρο;»

«Δέντρο! Δέντρο!» απάντησαν ένα σωρό φωνές.

«Πολύ καλά» είπε η Ελεφαντίνα. «Τότε, αφού εί-

ναι δέντρο, πρέπει να το φυτέψουμε. Να σκάψουμε ένα λάκκο».

Τα δυο Ποντίκια έπεσαν με τα μούτρα και τέλειωσαν τη δουλειά στο άψε σβήσε. Ακολούθησαν ζωηρές διαφωνίες για το πώς θα φυτευόταν ο Θείος Ανδρέας, και πρέπει να πούμε πως φτηνά τη γλίτωσε και δεν τον φύτεψαν με το κεφάλι στο λάκκο. Πολλά

141

ζώα υποστήριζαν πως τα πόδια του είναι μάλλον κλαδιά, οπότε αυτά τα σταχτιά μπερδεμένα πράγματα (τα μαλλιά του κεφαλιού του) θα ήταν σίγουρα οι ρίζες. Μερικά άλλα είπαν όμως ότι η διχαλωτή του άκρη ήταν λασπωμένη και πιο μακριά, σαν τις αληθινές ρίζες. Με τα πολλά, τον φύτεψαν όρθιο. Πατίκωσαν καλά το χώμα γύρω γύρω, και τα γόνατά του σκεπάστηκαν.

«Καλέ αυτό είναι πολύ μαραμένο!» είπε το Γαϊδουράκι.

«Και σίγουρα θα θέλει πότισμα» είπε η Ελεφαντίνα. «Τολμώ να πω μάλιστα (και χωρίς παρεξήγηση), πως ίσως η δουλειά αυτή είναι για τη δική μου μύτη –»

«Διαμαρτύρομαι εντόνως!» φώναξε το Μπουλντόγκ. Η Ελεφαντίνα πάντως τράβηξε ήσυχα ήσυχα στο ποτάμι, γέμισε νερό την προβοσκίδα της, και ξαναγύρισε να περιποιηθεί το Θείο Ανδρέα. Και το σοφό ζώο έκανε κάμποσα δρομολόγια, ώσπου ο Θείος Ανδρέας μούσκεψε ως το κόκαλο και τα νερά τρέχαν απ' τις ουρές της βελάδας του, σαν να 'χε κολυμπήσει με τα ρούχα. Με τα πολλά, ωστόσο, τον ζωντάνεψαν. Συνήρθε απ' τη λιγοθυμιά του – αλλά μη ρωτάτε πώς! Για την ώρα, ας τον αφήσουμε να ξανασκεφτεί τα σατανικά του κατορθώματα (αν είναι βέβαια ικανός να κάνει κάτι τόσο λογικό), κι ας παρακολουθήσουμε κάτι πιο σημαντικό.

Ο Φραουλής κάλπαζε με τον Ντίγκορυ στη ράχη του, ώσπου οι φωνές των άλλων ζώων έσβησαν, κι έφτασαν πια στη μικρή ομάδα των εκλεκτών, στο συμβούλιο του Ασλάν. Ο Ντίγκορυ καταλάβαινε πως δεν ήταν σωστό να διακόψει μια τόσο επίσημη συνεδρίαση – τελικά όμως δε χρειάστηκε να τη διακόψει.

Με μια λέξη του Ασλάν, ο Ελέφαντας, τα Κοράκια και τα υπόλοιπα ζώα αποτραβήχτηκαν. Ο Ντίγκορυ κατέβηκε τσουλήθρα από τ' άλογο, και βρέθηκε πρόσωπο με πρόσωπο με τον Ασλάν. Κι ο Ασλάν ήταν πιο μεγάλος κι όμορφος και πιο αστραφτερός και χρυσαφένιος και φοβερός απ' όσο του 'χε φανεί στην αρχή. Πού να τολμήσει να κοιτάξει εκείνα τα πελώρια μάτια!

«Σας παρακαλώ – κύριε Λιονταρή – κύριε Ασλάν» ψέλλισε ο Ντίγκορυ. «Μήπως θα – σας παρακαλώ, μήπως μπορείτε – να μου δώσετε κανένα μαγικό καρπό απ' αυτή τη χώρα για να γίνει καλά η μαμά μου;»

Μέσα σ' όλη του την απελπισία, παρακαλούσε να ακούσει το «Ναι» του Λιονταριού, αλλά και πάλι είχε έναν τρομερό φόβο πως θ' ακούσει «Όχι». Το Λιοντάρι τον ξάφνιασε όμως, γιατί δεν είπε ούτε το ένα ούτε το άλλο.

«Αυτό το αγόρι είναι» είπε ο Ασλάν, και δεν κοιτούσε πια τον Ντίγκορυ, μα τους συμβούλους του. «Αυτός το έκανε».

«Μπα σε καλό μου!» σκέφτηκε ο Ντίγκορυ. «Τι έκανα πάλι;»

«Γιε του Αδάμ» είπε το Λιοντάρι. «Εδώ στη Νάρνια, στην καινούρια χώρα μου, υπάρχει μια μάγισσα. Μπορείς να εξηγήσεις σ' αυτά τα αγαθά ζώα πώς έφτασε ως εδώ;»

Απ' το μυαλό του Ντίγκορυ πέρασαν σαν αστραπή του κόσμου οι δικαιολογίες μα, για καλή του τύχη, είχε τη φρονιμάδα να πει την αλήθεια.

«Εγώ την έφερα, Ασλάν» είπε σιγανά.

«Για ποιο λόγο;»

«Ήθελα να τη διώξω από τον κόσμο μου και να την ξαναπάω στο δικό της. Νόμιζα πως την πήγα...».

143

«Και πώς βρέθηκε στον κόσμο σου, Γιε του Αδάμ;»

«Με – με μάγια».

Το Λιοντάρι δε μίλησε, κι ο Ντίγκορυ κατάλαβε πως δεν του είχε δώσει ολόκληρη την απάντηση.

«Να, Ασλάν, ο θείος μου... Ο θείος μου μας έστειλε έξω από τον κόσμο μας με κάτι μαγικά δαχτυλίδια. Δηλαδή, εγώ έπρεπε να πάω, υποχρεωτικά, γιατί πρώτα έστειλε την Πόλυ, και μετά πετύχαμε τη μάγισσα σ' ένα μέρος που το λένε Τσάρνη, κι αρπάχτηκε από πάνω μας εκεί που –»

«*Πετύχατε τη μάγισσα;*» είπε σιγανά ο Ασλάν, και στη φωνή του ξεχώριζες μια απειλή βρυχηθμού.

«*Αφού ξύπνησε*» είπε ο Ντίγκορυ, κι ήταν να τον κλαις. Κι έπειτα, χλομιάζοντας: «Δηλαδή, εγώ την ξύπνησα. Ήθελα να δω τι θα γίνει αν χτυπήσω την καμπάνα. Η Πόλυ δεν ήθελε. Δε φταίει αυτή. Πα – παλέψαμε κιόλας. Το ξέρω πως δεν έπρεπε, αλλά μου φαίνεται πως με μάγεψε λιγάκι εκείνη η επιγραφή, κάτω από την καμπάνα».

«Αλήθεια;» ρώτησε ο Ασλάν, πάντα με την ίδια σιγανή και βαθιά φωνή.

«Όχι» έκανε ο Ντίγκορυ. «Τώρα το καταλαβαίνω πως δε με μάγεψε. Στα ψέματα το 'κανα».

Έπεσε σιωπή. Κι ο Ντίγκορυ σκεφτόταν και ξανασκεφτόταν; «Τώρα τα 'κανα μούσκεμα. Δεν πρόκειται να μου δώσει τίποτα για τη μαμά μου».

Ο Λιοντάρι ξαναμίλησε, μα όχι πια στον Ντίγκορυ.

«Βλέπετε, φίλοι μου, αυτός ο νέος και καθαρός κόσμος που σας έδωσα δεν έχει ούτε εφτά ωρών ζωή, και η δύναμη του Κακού τον πάτησε κιόλας. Ξύπνησε, κι ήρθε εδώ μαζί με το Γιο του Αδάμ». Όλα τα ζώα, ως κι ο Φραουλής, γύρισαν και κοίταξαν τον Ντίγκορυ, κι εκείνος ευχήθηκε ν' ανοίξει η γη και να

144

τον καταπιεί. «Μη χάνετε όμως το θάρρος σας» είπε ο Ασλάν στα ζώα. «Το Κακό θα φέρει κι άλλο κακό – μα για την ώρα βρίσκεται μακριά, κι αργότερα θα φροντίσω να πάρω πάνω μου το χειρότερο. Στο μεταξύ, πρέπει να κάνουμε χαρούμενη τη χώρα τούτη, σε έναν κόσμο χαρούμενο, στους αιώνες των αιώνων. Και το γένος του Αδάμ που έφερε το κακό, θα βοηθήσει να το γιατρέψουμε. Ελάτε κοντά εσείς οι δυο». Τα τελευταία λόγια του ήταν για την Πόλυ και τον αμαξά, που πλησίαζαν εκείνη τη στιγμή. Η Πόλυ, με τα μάτια γουρλωμένα και το στόμα διάπλατο, κοιτούσε τον Ασλάν κι έσφιγγε γερά το χέρι του αμαξά. Ο αμαξάς έριξε μια ματιά στο Λιοντάρι κι έβγαλε το καπέλο του: ίσαμε εκείνη τη στιγμή, κανένας δεν τον είχε δει χωρίς καπέλο. Κι όταν το 'βγαλε, φάνηκε τόσο νέος κι όμορφος! Πιο πολύ με χωριατόπαιδο έμοιαζε, παρά με λονδρέζο αμαξά.

«Γιε μου» είπε ο Ασλάν στον αμαξά. «Σε ξέρω από καιρό. Εσύ με ξέρεις;»

«Ο – όχι, κύριέ μου» απάντησε ο αμαξάς. «Δε θα έλεγα ότι σας ξέρω. Κι ωστόσο, να, πώς να το πω; Νιώθω πως κάπου έχουμε ξανασυναντηθεί – με το συμπάθιο».

«Καλά» έκανε το Λιοντάρι. «Ξέρεις περισσότερα απ' όσα νομίζεις, και με τον καιρό θα με γνωρίσεις καλύτερα. Σ' αρέσει αυτός ο τόπος;»

«Είναι πεντάμορφος, κύριέ μου» είπε ο αμαξάς.

«Θέλεις να μείνεις εδώ, για πάντα;»

«Τι να σας πω, κύριέ μου – είμαι παντρεμένος άνθρωπος. Αν είχα εδώ και τη γυναίκα μου, ούτε εκείνη ούτε εγώ θα θέλαμε να γυρίσουμε στο Λονδίνο, έτσι μου φαίνεται. Εμείς είμαστε άνθρωποι του χωριού».

Ο Ασλάν τίναξε ψηλά το μαλλιαρό κεφάλι του,

145

άνοιξε το στόμα κι έβγαλε μια μακρόσυρτη νότα – όχι πολύ δυνατή, κι ωστόσο πανίσχυρη. Η Πόλυ ένιωσε την καρδιά της να τρέμει. Σίγουρα ήταν κάλεσμα, και σίγουρα όποιος τ' άκουγε θα 'θελε να το υπακούσει. Και, ακόμα σιγουρότερα, θα μπορούσε να το υπακούσει, όσοι κόσμοι κι αν μεσολαβούσαν, κι όσοι αιώνες. Έτσι, μ' όλο το σάστισμά της, δεν τα 'χασε στ' αλήθεια ούτε ταράχτηκε όταν, άξαφνα, μια κοπέλα με πρόσωπο τίμιο κι ευγενικό ξεφύτρωσε ανάμεσά τους και στάθηκε δίπλα της. Η Πόλυ κατάλαβε αμέσως πως είναι γυναίκα του αμαξά, κι είχε έρθει από τον κόσμο μας δίχως μπελαλίδικα μαγικά δαχτυλίδια, μα έτσι γρήγορα, απλά και γλυκά, σαν το πουλί που γυρίζει πετώντας στη φωλιά του. Φαίνεται πως είχε αφήσει την μπουγάδα της στη μέση, γιατί ήταν ζωσμένη με ποδιά, κι είχε τα μανίκια ανασκουμπωμένα και τα χέρια γεμάτα σαπουνάδες. Αν προλάβαινε να βάλει τα καλά της (το κυριακάτικο καπέλο με τα ψεύτικα κεράσια, ας πούμε), θα 'χε το χάλι της. Τώρα όμως ήταν όμορφη.

Φυσικά, νόμιζε πως ονειρεύεται, και δεν έτρεξε κοντά στον άντρα της να τον ρωτήσει τι 'ταν αυτό που έπαθαν κι οι δυο τους. Μα όταν κοίταξε το Λιοντάρι, δεν ήταν πια και τόσο σίγουρη πως βλέπει όνειρο. Κι ύστερα – άλλο μυστήριο και τούτο! – δεν ένιωθε κανένα φόβο. Έκανε μόνο μια μικρή υπόκλιση, όπως συνήθιζαν οι χωριατοπούλες τα χρόνια εκείνα, κι έπειτα ζύγωσε τον αμαξά, τον έπιασε από το χέρι, και κοίταξε γύρω γύρω ντροπαλά.

«Παιδιά μου» είπε ο Ασλάν, και στύλωσε τα μάτια του πάνω τους, «είσαστε οι πρώτοι βασιλιάδες της Νάρνια».

Ο αμαξάς άνοιξε το στόμα του σαστισμένος, κι η

146

γυναίκα του έγινε κόκκινη σαν παπαρούνα.

«Εσείς θα κυβερνάτε αυτά τα πλάσματα, και θα τους δίνετε ονόματα και δίκιο, εσείς θα τα φυλάτε απ' τους εχθρούς, όταν φανούν εχθροί. Και θα φανούν, γιατί στον κόσμο τούτο βρίσκεται κιόλας μια κακιά Μάγισσα».

Ο αμαξάς ξεροκατάπιε κάνα δυο φορές και ξερόβηξε.

«Κύριε – με το συμπάθιο» είπε, «βέβαια, σας ευχαριστώ πολύ (το ίδιο και η κυρά μου από δω), αλλά εμείς δεν είμαστε για τέτοια. Δυο κολυβογράμματα ξέρω όλα κι όλα...»

«Δεν πειράζει» είπε ο Ασλάν. «Ξέρεις να δουλεύεις την αξίνα και το άροτρο; Ξέρεις να βγάζεις ψωμί από τη γη;»

«Και βέβαια ξέρω! Έτσι μεγάλωσα».

«Και μπορείς να κυβερνήσεις όλα αυτά τα πλάσματα με δικαιοσύνη και αγάπη, και να θυμάσαι πάντα πως δεν είναι σκλάβοι, σαν τα βουβά ζώα του κόσμου όπου γεννήθηκες, αλλά Ζώα Που Μιλούν, ελεύθεροι υπήκοοί σου;»

«Το είδα με τα μάτια μου» είπε ο αμαξάς. «Και θα προσπαθήσω να τους φερθώ εντάξει».

«Και θα μάθεις τα παιδιά και τα εγγόνια σου να κάνουν το ίδιο;»

«Θα κάνω ό,τι περνάει από το χέρι μου – ε, Νέλλη;»

«Και δε θα δείξεις προτίμηση σε κανένα απ' τα παιδιά σου ούτε σε κανένα από τ' άλλα πλάσματα; Και δε θ' αφήσεις κανένα να καταπιέζει το άλλο και να το κακομεταχειρίζεται;»

«Για να σας πω την αλήθειά μου, κύριε, εγώ δεν τα μπορώ αυτά τα καμώματα. Κι όποιος κάνει πως τολμάει – θα τον συγυρίσω!» είπε ο αμαξάς. (Όσο προχώραγε η κουβέντα, η φωνή του γινόταν πιο αργή και πλούσια, όπως θα πρέπει να μιλούσε στα νιάτα του, δεν έμοιαζε με τη φωνή επαρχιώτη αμαξά στο Λονδίνο).

«Κι αν έρθουν εχθροί να χτυπήσουν αυτή τη χώρα (γιατί θα 'ρθουν), και γίνει πόλεμος, θα 'σαι πρώτος στην επίθεση και τελευταίος στην υποχώρηση;»

«Τι να σας πω;» είπε αργά αργά ο αμαξάς. «Κανένας δεν μπορεί να ξέρει αν δεν το δοκιμάσει. Μπορεί και να δειλιάσω. Εγώ δεν έχω πολεμήσει ποτέ μου – αν εξαιρέσεις κάνα δυο μπουνιές. Πάντως, θα προσπαθήσω – θέλω να πω, θα δω τι θα γίνει. Θα κάνω ό,τι περνάει απ' το χέρι μου».

«Φτάνει» είπε ο Ασλάν. «Αυτό πρέπει να κάνει κάθε βασιλιάς. Σε λίγο θα γίνει η στέψη. Εσύ και τα

παιδιά σου και τα εγγόνια σου θα 'σαστε ευλογημέ-
νοι, και μερικοί θα βασιλέψουνε στη Νάρνια, κι άλ-
λοι στην Αρχελάνδη, πέρα από τα Βουνά του Νότου.
Και συ, μικρή μου κόρη (γύρισε στην Πόλυ), καλώς
όρισες. Για πες μου, έχεις συχωρέσει το αγόρι για το
βίαιο φέρσιμό του στην Αίθουσα των Ειδώλων, στο
έρημο παλάτι της καταραμένης Τσάρνης;»

«Ναι, Ασλάν, φιλιώσαμε» είπε ο Πόλυ.

«Πάει καλά» έκανε ο Ασλάν. «Και τώρα, το αγό-
ρι».

KEΦΑΛΑΙΟ ΔΩΔΕΚΑΤΟ

Η περιπέτεια του Φραουλή

Ο Ντίγκορυ είχε κλείσει το στόμα του σφιχτά. Κάθε λεπτό που περνούσε, η αμηχανία του μεγάλωνε, κι ένα σκεφτόταν μόνο: ο κόσμος να χαλούσε δεν έπρεπε να ξεστομίσει ούτε να κάνει τίποτα γελοίο. «Γιε του Αδάμ» είπε ο Ασλάν. «Είσαι έτοιμος να επανορθώσεις το κακό που έκανες στη γλυκιά χώρα της Νάρνια, τη μέρα της γέννησής της;»

«Δε – δεν ξέρω τι πρέπει να κάνω» είπε ο Ντίγκορυ. «Η Βασίλισσα το ᾽σκασε και –»

«Άλλο σε ρώτησα εγώ: είσαι έτοιμος;» είπε το Λιοντάρι.

«Ναι» απάντησε ο Ντίγκορυ. Για μια στιγμή, του πέρασε απ᾽ το νου μια τρελή σκέψη, να πει: «Θα κοιτάξω να σε βοηθήσω, αν μου υποσχεθείς πως κι εσύ θα βοηθήσεις τη μαμά μου», αλλά το κατάλαβε εγκαίρως ότι το Λιοντάρι δε θα σήκωνε παζάρια. Όμως,

150

την ώρα που έλεγε το «Ναι», σκέφτηκε τη μητέρα του και τις ελπίδες που έσβηναν τώρα πια, κι ένας κόμπος τον έπνιξε στο λαιμό. Τα μάτια του δάκρυσαν και τραύλισε:

«Σε παρακαλώ – σε παρακαλώ – αν μπορείς – θα μου δώσεις τίποτα για να γίνει καλά η μαμά;» Ίσαμε εκείνη τη στιγμή κοιτούσε τα πελώρια μπροστινά πόδια του Λιονταριού, με τα φοβερά νύχια. Τώρα, μέσα στην απελπισία του, σήκωσε τα μάτια και το κοίταξε καταπρόσωπο. Κι αυτό που αντίκρισε τον παραξένεψε όσο τίποτα στη ζωή του. Γιατί το χρυσοκάστανο πρόσωπο είχε σκύψει κοντά κοντά στο δικό του και – τι θαύμα κι αυτό! Μεγάλα αστραφτερά δάκρυα ανάβλυζαν από τα μάτια του Λιονταριού. Κι ήταν τόσο μεγάλα κι αστραφτερά τα δάκρυά του, μπροστά στα δάκρυα του Ντίγκορυ, που το παιδί πίστεψε για μια στιγμή πως το Λιοντάρι πρέπει στ' αλήθεια να τη λυπάται τη μητέρα πιο πολύ απ' αυτόν.

«Γιε μου» είπε ο Ασλάν, «καταλαβαίνω. Ο πόνος είναι μεγάλος. Και, για την ώρα, μόνο εσύ κι εγώ τον έχουμε γνωρίσει σ' αυτό τον τόπο. Βοήθα με για να σε βοηθήσω. Πρέπει να σκεφτώ τη Νάρνια, το μέλλον της στους αιώνες. Η Μάγισσα που έφερες στον κόσμο μας θα ξαναγυρίσει – αργότερα όμως. Θέλω λοιπόν να φυτέψω εδώ ένα δέντρο που ποτέ δε θα τολμήσει να το ζυγώσει η Μάγισσα, κι αυτό το δέντρο θα προστατεύει τη χώρα μου χρόνια και χρόνια. Μόνο έτσι θα ζήσει η Νάρνια ένα μεγάλο αστραφτερό πρωινό, προτού σκεπάσουν σύννεφα τον ήλιο της. Πρέπει να μου φέρεις το σπόρο του δέντρου».

«Μάλιστα αφέντη» είπε ο Ντίγκορυ. Δεν ήξερε πώς, αλλά ένιωθε απόλυτα σίγουρος ότι μπορεί να τα καταφέρει. Το Λιοντάρι αναστέναξε, έσκυψε κι άλλο

151

το κεφάλι του και τον φίλησε. Κι ο Ντίγκορυ ένιωσε μέσα του μονομιάς δύναμη πρωτόγνωρη και θάρρος.

«Αγαπημένο μου παιδί» είπε ο Ασλάν, «άκου τι πρέπει να κάνεις. Κοίταξε πέρα, στα δυτικά, και πες μου τι βλέπεις».

«Βλέπω κάτι πελώρια τρομερά βουνά. Βλέπω ένα ποτάμι που κατεβαίνει και πέφτει καταρράχτης στους γκρεμούς. Και πέρα απ' τους γκρεμούς έχει ψηλούς πράσινους λόφους όλο δάση. Και παραπέρα κάτι θεόρατες βουνοσειρές σκοτεινές. Κι ακόμα πέρα, μακριά, έχει βουνά χιονισμένα, το 'να πάνω στο άλλο, σαν τις Άλπεις. Και πίσω τους τίποτα, μόνο ουρανό».

«Καλά τα βλέπεις» είπε το Λιοντάρι. «Άκου λοιπόν: Η χώρα της Νάρνια τελειώνει στον καταρράχτη. Μόλις φτάσεις στην κορφή του γκρεμού, θα βγεις από τη Νάρνια και θα βρεθείς στη Δυτική Ερημιά. Θα περάσεις και τ' άλλα βουνά, και θα συναντήσεις μια πράσινη κοιλάδα με μια γαλάζια λίμνη, που γύρω γύρω την κλείνουν παγόβουνα. Στην άκρη της λίμνης έχει έναν απότομο λόφο, και στην κορφή του λόφου ένα περιβόλι. Στη μέση του περιβολιού είν' ένα δέντρο. Κόψε ένα μήλο από το δέντρο και φέρ' τό μου».

«Μάλιστα» ξανάπε ο Ντίγκορυ. Δεν είχε ιδέα πώς θα σκαρφαλώσει τον γκρεμό και πώς θα βρει το δρόμο μέσα στα βουνά, μα δεν ήθελε να πει τίποτα, γιατί φοβόταν μη φανεί για δικαιολογία. Είπε όμως: «Κοίτα, Ασλάν, ελπίζω να μη βιάζεσαι γιατί δε θα καταφέρω να πάω και νά 'ρθω γρήγορα».

«Μικρέ μου Γιε του Αδάμ, θα 'χεις και βοηθό» είπε ο Ασλάν και γύρισε στο Άλογο που, όλη αυτή την ώρα, στεκόταν σιωπηλό πιο κει, κουνώντας την ουρά του για να διώχνει τις μύγες, κι άκουγε προσεχτικά, με το κεφάλι γερμένο στο πλάι, λες κι όλη η κουβέντα ήταν δύσκολη και δεν την καλοκαταλάβαινε.

«Φίλε μου» είπε ο Ασλάν στο άλογο, «θες να γίνεις φτερωτό άτι;»

Αχ και να βλέπατε πώς τίναξε τη χαίτη του ο Φραουλής, πώς τεντωθήκανε τα ρουθούνια του, και χτύπησε ανάλαφρα το χώμα με την οπλή του! Το πράγμα μιλούσε από μόνο του: πολύ του άρεσε η ιδέα να γίνει φτερωτό άτι – μα είπε, απλά:

«Αν το θες εσύ, Ασλάν – αν θες να πεις πως –. Πάντως, δεν καταλαβαίνω – γιατί εγώ – ξέρεις, δεν είμαι και πολύ έξυπνο άλογο».

«Βγάλε φτερά. Και να γενείς πατέρας όλων των φτερωτών αλόγων!» μούγκρισε ο Ασλάν, κι η φωνή του τράνταξε τη γη. «Και τ' όνομά σου ας είναι Φτερωτός!»

Το άλογο ξιπάστηκε, σαν τον παλιό κακό καιρό που έσερνε το αμάξι. Σηκώθηκε στα πισινά του πόδια, τέντωσε πίσω το λαιμό, λες και το τσίμπησε μύγα κι ήθελε να ξυστεί. Και τότε, σαν τα ζώα που 'χαν ξεφυτρώσει από τη γη, πλατιές φτερούγες πετάχτηκαν στους ώμους του Φτερωτού, κι άπλωναν και μεγάλωναν ολοένα, φτερούγες πιο μεγάλες απ' του αετού, και πιο μεγάλες απ' του κύκνου, κι απ' τα φτερά των αγγέλων στα παράθυρα της εκκλησίας. Κι άστραψαν οι φτερούγες καστανές και χαλκοκόκκινες. Τις τίναξε και, μεμιάς, βρέθηκε ψηλά, στον αέρα, τρία μέτρα πάνω απ' τον Ασλάν και τον Ντίγκορυ, κι έπειτα ρουθούνισε, χλιμίντρισε και πήδηξε ψηλότερα. Κι αφού έκανε ένα μεγάλο γύρο πετώντας, κατέβηκε στο χώμα με τα τέσσερα, κάπως αμήχανος και σαστισμένος, αλλά πολύ ευχαριστημένος.

«Σ' άρεσε, Φτερωτέ;» ρώτησε ο Ασλάν.

153

«Να 'ταν κι άλλο!»

«Λοιπόν, θα πας το Γιο του Αδάμ στην κοιλάδα των 6ουνών που έλεγα;»

«Τι; Τώρα; Αμέσως;» είπε ο Φραουλής – ή μάλλον ο Φτερωτός, γιατί έτσι πρέπει να τον λέμε από δω κι εμπρός. «Ζήτωωω! Έλα, μικρέ μου! Τον παλιό καιρό κουβαλούσα κι άλλους σαν και σένα στη ράχη μου. Πολύ, πολύ παλιά. Τότε που είχε πράσινα λιβάδια και ζάχαρη».

«Τι μυστικά λέτε εκεί πέρα, Κόρες της Εύας;» είπε ο Ασλάν, και γύρισε άξαφνα στην Πόλυ και τη γυναίκα του αμαξά που είχαν πιάσει φιλίες.

«Αφέντη» είπε η Βασίλισσα Ελένη (γιατί έτσι την έλεγαν τώρα τη Νέλλη, τη γυναίκα του αμαξά), «μου φαίνεται πως η μικρούλα θέλει πολύ να πάει μαζί τους, αν δεν είναι μεγάλη φασαρία».

«Ο Φτερωτός, τι λέει;» ρώτησε το Λιοντάρι.

«Εμένα δε με νοιάζει, δεν είναι και σπουδαίο φορτίο» είπε ο Φτερωτός. «Φτάνει να μην έρθει κι ο Ελέφαντας».

Ο Ελέφαντας δεν είχε όμως καμιά όρεξη, και ο καινούριος Βασιλιάς της Νάρνια βοήθησε τα παιδιά να καβαλικέψουν – για την ακρίβεια, τον Ντίγκορυ τον σήκωσε πολύ απότομα, αλλά την Πόλυ την απόθεσε απαλά στη ράχη του αλόγου, λες κι ήταν από πορσελάνη, να μη σπάσει. «Έτοιμος, Φραουλή μου – ε... Φτερωτέ, ήθελα να πω. Άιντε στο καλό».

«Να μην πετάς πολύ ψηλά» είπε ο Ασλάν. «Και μη δοκιμάσεις να περάσεις πάνω από τις κορφές των παγωμένων βουνών. Ψάχνε για τις κοιλάδες και τις πράσινες μεριές, κι από κει να περνάς. Πάντα θα βρίσκεις δρόμο. Και τώρα, να πάτε στην ευχή μου».

«Αχ, Φτερωτέ!» είπε ο Ντίγκορυ, κι έγειρε να χαϊδέψει το γυαλιστερό κεφάλι του αλόγου. «Όμορφα που είναι! Πόλυ, να με κρατάς σφιχτά».

Και την άλλη στιγμή ένιωσαν όλη τη χώρα να πέφτει κι όλο να πέφτει, κάτω, χαμηλά, μακριά τους, και να στριφογυρίζει καθώς ο Φτερωτός, σαν πελώριο περιστέρι, έκανε δυο κύκλους και πήρε το μακρύ δρόμο για τη Δύση. Η Πόλυ κοίταξε κάτω, και μόλις που ξεχώρισε το Βασιλιά και τη Βασίλισσα. Ως κι ο Ασλάν φαινόταν σαν λαμπερή κιτρινωπή κηλίδα στο πράσινο χορτάρι. Κι ύστερα ένιωσαν τον άνεμο στα πρόσωπά τους, κι ο Φτερωτός άρχισε να χτυπάει πιο σταθερά τις φτερούγες του.

155

Όλη η Νάρνια, με τα πολύχρωμα λιβάδια και τα βράχια της και τα ρουμάνια και τα δέντρα απλωνόταν πέρα ως πέρα, και το ποτάμι ξετύλιγε μια κορδέλα από υδράργυρο. Έβλεπαν τώρα πάνω απ' τις κορφές των χαμηλών λόφων που είχαν στα βόρεια, δεξιά τους. Και πέρα από τους λόφους ήταν ένα τεράστιο βαλτοτόπι που καμπούριαζε απαλά κι ανηφόριζε προς τη γραμμή του ορίζοντα. Στ' αριστερά τους είχε κάτι ψηλά βουνά, και κάπου κάπου άνοιγαν κι έβλεπες λίγο, ανάμεσα στους γκρεμούς με τα πεύκα, τις χώρες του Νότου, γαλάζιες και μακρινές.

«Εκεί θα πρέπει να 'ναι η Αρχελάνδη» είπε η Πόλυ.

«Ναι, μα κοίτα μπροστά!» είπε ο Ντίγκορυ.

Γιατί τώρα ένα πελώριο φράγμα απότομων βράχων τους έκλεινε το δρόμο, το φως του ήλιου τους τύφλωνε χορεύοντας στο μεγάλο καταρράχτη, και το ποτάμι μούγκριζε κι άστραφτε κατεβαίνοντας απ' τους απάτητους τόπους της Δύσης, και κυλούσε ως κάτω, στη Νάρνια. Πετούσαν κιόλας τόσο ψηλά, που η βροντή του καταρράχτη ακουγόταν αχνή, μα δεν είχαν ανεβεί αρκετά για να περάσουν τα βράχια.

«Θα πρέπει να κάνουμε μανούβρα» είπε ο Φτερωτός. «Κρατηθείτε!»

Κι άρχισε να κάνει κύκλους, ανεβαίνοντας ψηλότερα σε κάθε στροφή. Ο αέρας πάγωνε, και κάτω, χαμηλά, άκουσαν την κραυγή του αετού.

«Κοίτα πίσω! Κοίτα πίσω!» φώναξε η Πόλυ.

Τώρα φαινόταν όλη η κοιλάδα της Νάρνια, ίσαμε εκεί που, λίγο πριν από τον ανατολικό ορίζοντα, γυαλοκοπούσε η θάλασσα. Είχαν ανέβει πια τόσο ψηλά, που έβλεπαν μικρούτσικα πριονωτά βουνά να ξεπηδούν από τους βάλτους του Βορρά, και αμμου-

157

δερές κοιλάδες – έτσι τους φάνηκαν – πέρα στο Νότο. «Ας είχαμε κανέναν να μας λέει τι 'ναι όλα αυτά τα μέρη» είπε ο Ντίγκορυ. «Μπα, δεν πρέπει να 'χουν όνομα ακόμα» είπε η Πόλυ. «Αφού δεν υπάρχει ψυχή πουθενά, ούτε γίνεται τίποτα. Ο κόσμος γεννήθηκε σήμερα». «Πάντως θα 'ρθουν και δω οι άνθρωποι» είπε ο Ντίγκορυ, «και θα φτιάξουν ιστορίες». «Καλά που δεν ήρθαν ακόμα» είπε η Πόλυ. «Έτσι, κανένας δεν είναι υποχρεωμένος να μαθαίνει μάχες και χρονολογίες και πράσιν' άλογα».

Τώρα πια πέρασαν τα βράχια, και σε λίγα λεπτά η κοιλάδα της Νάρνια βούλιαξε και χάθηκε απ' τα μάτια τους. Πετούσαν πάνω από την ερημιά, πάνω από λόφους απότομους και θεοσκότεινα δάση, ακολουθώντας το ποτάμι. Μπροστά τους ορθώνονταν μαυριδερά τα μεγάλα βουνά, μα τώρα είχαν τον ήλιο στα μάτια και δεν έβλεπαν καθαρά κατά εκείνη τη μεριά. Γιατί ο ήλιος έγερνε όλο και πιο χαμηλά, ώσπου στη δύση ο ουρανός έγινε ένα πελώριο καμίνι, ξέχειλο λιωμένο χρυσάφι. Και στο τέλος έδυσε πίσω από μια πριονωτή κορφή που τιναζόταν ψηλά, μέσα στο φως, κοφτερή και πλακουτσή, λες κι ήτανε κομμένη σε χαρτόνι.

«Δεν είναι και πολύ ζεστά εδώ πάνω» είπε η Πόλυ.

«Τα φτερά μου πονάνε» είπε ο Φτερωτός, «κι από την κοιλάδα με τη λίμνη που έλεγε ο Ασλάν, δε φαίνεται τίποτα. Δε μου λέτε, δεν κατεβαίνουμε να βρούμε καμιά καλή μεριά να περάσουμε τη νύχτα; Έτσι κι αλλιώς, δεν προλαβαίνουμε να φτάσουμε απόψε».

«Εντάξει. Κι ύστερα – είναι ώρα για φαΐ» είπε ο Ντίγκορυ.

Κι ο Φτερωτός άρχισε πάλι να κατεβαίνει, κι όσο πλησίαζαν στο χώμα, ανάμεσα στους λόφους, ο αέρας γινόταν πιο ζεστός. Έπειτα από τόσες ώρες ταξίδι, όπου δεν άκουγαν παρά μονάχα το φτεροκόπημα του αλόγου, ήταν τόσο όμορφοι οι ταπεινοί ήχοι της γης – ο ποταμός που σιγανομουρμούριζε στην πέτρινη κοίτη του, τα δέντρα που έτριζαν στο ελαφρό αεράκι. Τους τύλιξε πάλι η ζεστή ευωδιά, ηλιοψημένο χώμα, χορτάρι και λουλούδια. Και, με τα πολλά, ο Φτερωτός προσγειώθηκε. Πρώτος πήδηξε κάτω ο Ντίγκορυ, και βοήθησε την Πόλυ να ξεπεζέψει. Πολύ τους άρεσε που θα ξεμούδιαζαν λιγάκι.

Η κοιλάδα όπου βρέθηκαν τώρα ήταν στην καρδιά των βουνών, και πάνω απ' τα κεφάλια τους ορθώνονταν χιονισμένες κορφές. Η μια, φουντωμένη σαν πορφυρό ρόδο, καθρέφτιζε τον ήλιο που έδυε.

«Πεινάω» είπε ο Ντίγκορυ.

«Τι κάθεσαι;» απόρησε ο Φτερωτός, και μπούκωσε το στόμα του χορτάρι. Έπειτα σήκωσε το κεφάλι, και μπουκωμένος ακόμα με χορταράκια που κρέμονταν απ' τα χείλια του σαν μουστάκια, πρόσθεσε: «Άντε, ντε! Μην ντρεπόσαστε. Έχει μπόλικο, φτάνει για όλους».

«Μα εμείς δεν τρώμε χορτάρι» είπε ο Ντίγκορυ.

«Χμμμ» είπε ο Φτερωτός με γεμάτο στόμα. «Τότε – χμμμ – τι να σας κάνω; Πάντως, το χορτάρι είναι σπουδαίο».

Η Πόλυ κι ο Ντίγκορυ κοιτάχτηκαν – είχαν αρχίσει να θυμώνουν.

«Κι εγώ σου λέω πως κάποιος έπρεπε να μας σκεφτεί» είπε ο Ντίγκορυ.

«Σίγουρα θα το φρόντιζε ο Ασλάν, αν του το 'λεγες» απάντησε ο Φτερωτός.

159

«Λες να μην το 'ξερε, κι αν δεν του το λέγαμε;» είπε η Πόλυ.

«Βέβαια, δεν αμφιβάλλω» είπε το άλογο (πάντα μπουκωμένο), «αλλά μου φαίνεται πως του αρέσει να του το ζητάνε».

«Και τώρα τι κάνουμε;» είπε ο Ντίγκορυ.

«Δεν έχω ιδέα» είπε ο Φτερωτός. «Γιατί δε δοκιμάζετε λίγο χορταράκι; Μπορεί να σας αρέσει».

«Κουταμάρες!» είπε η Πόλυ και χτύπησε κάτω το πόδι της. «Οι άνθρωποι δεν τρώνε χορτάρι, όπως και συ δεν τρως μπιφτέκια!»

«Μη μελετάς μπιφτέκια, γιατί με πιάνει λιγούρα» είπε ο Ντίγκορυ.

Και τότε ο Ντίγκορυ είπε της Πόλυ πως καλύτερα ήταν να γυρίσει πίσω μόνη της με το δαχτυλίδι και να φάει. Αυτός δεν μπορούσε, γιατί είχε υποσχεθεί να εκτελέσει την παραγγελία του Ασλάν – κι ύστερα, αν ξαναγύριζε στο Λονδίνο, μπορεί να γινόταν τίποτα και να μην τον άφηναν να φύγει. Η Πόλυ όμως είπε πως δεν το κουνάει ρούπι – κι ο Ντίγκορυ την παραδέχτηκε, ήταν πολύ εντάξει.

«Κοίτα δω» είπε η Πόλυ. «Έχω ένα σακουλάκι καραμέλες στην τσέπη μου. Απ' το τίποτα, καλές είναι κι αυτές».

«Άκου λόγια!» είπε ο Ντίγκορυ. «Μόνο πρόσεξε να μην αγγίξεις το δαχτυλίδι τώρα που θα βάλεις το χέρι να τις πιάσεις».

Ήταν δύσκολη δουλειά, πολύ λεπτή, αλλά στο τέλος τα κατάφερε. Το χάρτινο σακουλάκι ήταν πατικωμένο και κόλλαγε, κι έτσι αναγκάστηκαν να βγάλουν τη σακούλα από τις καραμέλες κι όχι τις καραμέλες από τη σακούλα. Μερικοί μεγάλοι (που ξέρετε πόσο ιδιότροποι είναι σε κάτι τέτοια), θα προτιμούσαν να μείνουν νηστικοί, παρά ν' αγγίξουν τις καρα-μέλες σε τέτοιο χάλι. Ήταν εννιά καραμέλες όλες όλες – κι ο Ντίγκορυ είχε μια ιδέα: να φάνε από τέσ-σερις ο καθένας, και την ένατη να τη φυτέψουν. Για-τί, όπως είπε, «αφού ο στύλος του φανοστάτη έγι-νε φωτοδεντράκι, μπορεί κι αυτό να γίνει καραμελό-δεντρο!» Κι έτσι, άνοιξαν μια τρυπούλα στα βρύα κι

έθαψαν την καραμέλα. Έπειτα έφαγαν τις άλλες, κρατώντας τες πολλή ώρα στο στόμα, για να μην τε-λειώσουν γρήγορα. Το δείπνο τους ήταν φτωχικό, κι ας έφαγαν μαζί και κάμποσο χαρτί, αφού δε γινόταν αλλιώς.

Ο Φτερωτός όμως έφαγε βασιλικά κι ύστερα ξα-πλώθηκε στο χορτάρι. Και τα παιδιά έγειραν πλάι του, ένα σε κάθε πλευρό, κι ακούμπησαν στο ζεστό κορμί του και το άλογο άπλωσε τα φτερά του και τα σκέπασε, και βολεύτηκαν μια χαρά. Και καθώς έβγαιναν ένα ένα τα λαμπερά καινούρια αστέρια του νεογέννητου κόσμου, τα ξανακουβέντιασαν όλα, και πώς ο Ντίγκορυ, αντί να βρει αυτό που περίμενε για τη μαμά του, βρέθηκε να εκτελεί άλλη αποστολή, κι έπειτα έβαλαν πάλι κάτω όλα τα σημάδια που έπρεπε να 'χουν στο νου τους για να γνωρίσουν το μέρος που ζητούσαν – τη γαλάζια λίμνη, και το λόφο με το περιβόλι στην κορφή του. Η κουβέντα τους είχε αρχίσει να σιγανεύει γιατί νύσταζαν, όταν ξάφνου η Πόλυ ανακάθισε απότομα κι έκανε «Σσσσ!»

Έστησαν αυτί κι αφουγκράστηκαν.

«Μάλλον ο άνεμος στα δέντρα ήτανε» είπε σε λίγο ο Ντίγκορυ.

«Δεν είμαι σίγουρος» είπε ο Φτερωτός. «Μπα – για σταθείτε! Να το πάλι! Μα τον Ασλάν, κάτι τρέχει!»

Το άλογο σηκώθηκε με μεγάλο σαματά και φασαρία. Τα παιδιά είχαν πεταχτεί κιόλας στο πόδι. Ο Φτερωτός έτρεχε πέρα δώθε, μύριζε κι όλο χλιμίντριζε. Τα παιδιά προχωρούσαν στα νύχια, κοιτάζοντας πίσω απ' τους θάμνους και τα δέντρα. Όλη την ώρα κάτι νόμιζαν πως βλέπουν, και κάποια στιγμή η Πόλυ ήταν σίγουρη πως ξεχώρισε μια ψηλή σκοτεινή σιλουέτα που γλιστρούσε γοργά προς τα δυτικά. Δεν έπιασαν όμως τίποτα, και στο τέλος ο Φτερωτός ξάπλωσε πάλι, και πάλι κούρνιασαν τα παιδιά (αν μπορούμε να το πούμε έτσι) κάτω απ' τα φτερά του, κι αποκοιμήθηκαν αμέσως. Ο Φτερωτός έμεινε ξάγρυπνος κάμποση ώρα, κουνώντας τ' αυτιά του στο σκοτάδι, και κάπου κάπου το πετσί του ανατρίχιαζε, λες κι ένιωθε πάνω του μύγα. Μα, στο τέλος, αποκοιμήθηκε κι αυτός.

KEΦΑΛΑΙΟ ΔΕΚΑΤΟ ΤΡΙΤΟ

Μια απροσδόκητη συνάντηση

«Ξύπνα, Ντίγκορυ! Φτερωτέ, ξύπνα!» φώναξε η Πόλυ. «Φύτρωσε το καραμελόδεντρο! Κι είναι μια μέρα – όνειρο!»
Το πρώτο φως του ήλιου, ακόμα χαμηλό, ξεχυνόταν στο δάσος. Τα χόρτα έφεγγαν γκριζωπά απ' τις δροσοστάλες, κι οι αραχνιές γυαλοκοπούσαν ασημένιες. Εκεί δίπλα, είχε φυτρώσει ένα σκουρόχρωμο δεντράκι, ίσαμε μια μηλιά. Είχε φύλλα ασπρουδερά, σαν χάρτινα, ίδια μ' εκείνο το χορτάρι που το λένε λουναρία, κι ήταν φορτωμένο μικρούς καφετιούς καρπούς που μοιάζαν με χουρμάδες.
«Ζήτω!» φώναξε ο Ντίγκορυ. «Πρώτα όμως θα κάνω μια βουτιά». Κι όρμησε μέσα στο λουλουδισμένο σύθαμνο, και κατέβηκε στην ποταμιά. Έχετε κολυμπήσει ποτέ σε βουνίσιο ποτάμι, ποτάμι που πέφτει σε ξέβαθους καταρράχτες πάνω από κόκκινες, γαλά-

163

ζιες και κίτρινες πέτρες, και το λούζει ο ήλιος; Είναι όμορφο σαν τη θάλασσα – και, από μερικές απόψεις, καλύτερο. Φυσικά, ο Ντίγκορυ ξαναντύθηκε χωρίς να στεγνώσει, αλλά άξιζε τον κόπο. Όταν γύρισε, κατέβηκε κι η Πόλυ να κάνει μπάνιο. Έπειτα είπε πως κολύμπησε κι αυτή, αλλά εμείς που ξέρουμε πως δεν τα πήγαινε και τόσο καλά με το κολύμπι, δεν πρέπει να ρωτάμε πολλά. Κατέβηκε κι ο Φτερωτός στο ποτάμι, αλλά μπήκε μόνο ως τα μισά, έσκυψε κι ήπιε νερό με την ψυχή του. Έπειτα τίναξε τη χαίτη του και χλιμίντρισε κάμποσες φορές.

Η Πόλυ κι ο Ντίγκορυ έπεσαν με τα μούτρα στο καραμελόδεντρο. Τα φρούτα ήταν υπέροχα – δε θα τα 'λεγες όμως καραμέλες γάλακτος, γιατί ήταν πιο μαλακά και ζουμερά. Αληθινά φρούτα, μόνο που θύμιζαν κάπως καραμέλες γάλακτος. Έφαγε κι ο Φτερωτός. Δοκίμασε πρώτα ένα καραμελόφρουτο και του άρεσε, μα έπειτα είπε πως η όρεξή του τραβούσε χορταράκι, γιατί ήταν πρωί ακόμα. Στο τέλος, τα παιδιά σκαρφάλωσαν στη ράχη του – με κάποια δυσκολία – και άρχισε το δεύτερο ταξίδι.

Τώρα ήταν πιο καλά από χτες. Είχαν ξεκουραστεί και οι τρεις, κι ο ήλιος που έβγαινε απ' την ανατολή ήταν πίσω τους – και ξέρετε πως όλα φαίνονται πιο όμορφα όταν έχεις πίσω σου το φως. Σπουδαίο ταξίδι! Πάνω απ' τα κεφάλια τους, απ' όλες τις μεριές, ορθώνονταν μεγάλα χιονισμένα βουνά. Κάτω, μακριά, οι κοιλάδες ήταν τόσο πράσινες, κι όλα τα ρυάκια που κυλούσαν απ' τους παγετώνες στο μεγάλο ποτάμι τόσο γαλάζια, που τους φάνηκε σαν να πετούν πάνω από πελώρια χρυσαφικά με πολύτιμα πετράδια. Α, ήθελαν να κρατήσει κι άλλο τούτο το ταξίδι. Σε λίγο όμως, άρχισαν να μυρίζονται τον αέρα,

164

και να λένε «Τι είναι;» και «Σου μύρισε τίποτα;» και «Από πού έρχεται;» Κάπου, ίσια μπροστά τους, αναδινόταν μια ουράνια ευωδιά, ολόζεστη και χρυσαφένια, λες κι έβγαινε από τους πιο υπέροχους καρπούς κι από τα πιο ονειρεμένα λουλούδια του κόσμου.

«Από κει έρχεται, απ' την κοιλάδα με τη λίμνη» είπε ο Φτερωτός.

«Δίκιο έχεις» φώναξε ο Ντίγκορυ. «Κοίτα! Να ο πράσινος λόφος στην όχθη της λίμνης. Δες τι γαλάζιο που είναι το νερό!»

«Φτάσαμε» είπαν κι οι τρεις μ' ένα στόμα.

Ο Φτερωτός κατέβαινε τώρα, κάνοντας μεγάλους κύκλους, κι οι παγωμένες κορφές ανέβαιναν όλο και πιο ψηλά. Ο αέρας ζεσταινόταν και γλύκαινε, γλύ-

165

καινε τόσο, που σου 'φερνε δάκρυα στα μάτια. Ο Φτερωτός κρατούσε τα πελώρια φτερά του τεντωμένα κι ασάλευτα, κι οι οπλές του ετοιμάζονταν πια να πατήσουν στο χώμα. Ο απότομος πράσινος λόφος πλησίαζε ορμητικά προς το μέρος τους και, πριν το καλοκαταλάβουν, είχαν προσγειωθεί στην πλαγιά – λιγάκι άγαρμπα, είν' η αλήθεια. Τα παιδιά κουτρουβάλησαν κι έσκασαν στο ψιλούτσικο ζεστό χορτάρι. Δε χτύπησαν όμως, και σηκώθηκαν αμέσως λαχανιασμένα.

Είχαν φτάσει σχεδόν στα τρία τέταρτα του λόφου, και χωρίς να χάσουν καιρό ξεκίνησαν για την κορφή. Πάντως, ο Φτερωτός δε θα κατάφερνε να σκαρφαλώσει αν δεν είχε τα φτερά για να κρατάει ισορροπία, ή να πετάει όταν τα 'βρισκε δύσκολα. Ολόγυρα στην κορφή του λόφου είχε έναν πανύψηλο τοίχο από βλάστηση. Και πίσω απ' τον τοίχο φαίνονταν δέντρα, που τα κλαδιά τους τον περνούσαν και κρέμονταν απέξω. Μα τα φύλλα δεν ήταν μόνο πράσινα. Όταν τα σάλευε ο άνεμος, γίνονταν γαλάζια και ασημιά. Πάτησαν κι οι τρεις ταξιδιώτες στην κορφή, αλλά χρειάστηκε να κάνουν το γύρο του τοίχου για να βρουν την είσοδο: μια πελώρια, χρυσή πύλη που έβλεπε στ' ανατολικά, διπλοσφαλισμένη.

Θαρρώ πως, μέχρι εκείνη τη στιγμή, ο Φτερωτός κι η Πόλυ θα λογάριαζαν να μπουν στο περιβόλι μαζί με τον Ντίγκορυ. Τώρα όμως τους κόπηκε η όρεξη. Ποτέ τους δεν είχαν δει τόπο που να μοιάζει τόσο απάτητος. Κι ύστερα, το καταλάβαινες με την πρώτη ματιά πως αυτό το περιβόλι είναι ξένο. Έπρεπε να είσαι πολύ ανόητος για να περιμένεις πως θα μπεις – εκτός, βέβαια, κι αν είχες να εκτελέσεις κάποια σπουδαία αποστολή. Ο Ντίγκορυ κατάλαβε πως οι άλλοι δυο δεν μπορούσαν, ούτε κι έπρεπε να τον ακολουθήσουν. Πλησίασε λοιπόν την πύλη ολομόναχος.

Όταν έφτασε αρκετά κοντά, είδε ασημένια γράμματα χαραγμένα πάνω στο χρυσάφι, που έλεγαν πάνω κάτω τα εξής:

Τη χρυσαφένια πύλη πέρνα – ή μη ζυγώσεις!
Γι' άλλον πάρε καρπούς – ή μην απλώσεις!
Κι αν κλέφτης απ' τη μάντρα μπεις κι όχι τη θύρα,
τον πόθο της καρδιάς σου θά 'βρεις και τη μαύρη μοίρα.

«Γι' άλλον πάρε καρπούς» είπε μόνος του ο Ντίγκορυ. «Αυτό θέλω κι εγώ. Αν κατάλαβα καλά, μου λέει πως δεν πρέπει να φάω τίποτα. Πάντως το άλλο δεν το καταλαβαίνω. «Τη χρυσαφένια πύλη πέρνα» – εμ, βέβαια! Ποιος έχει όρεξη να σκαρφαλώνει τοίχους, αφού υπάρχει πόρτα; Ναι, αλλά πώς θ' ανοίξω;» Ακούμπησε το χέρι του στη βαριά πύλη, και στη στιγμή τα θυρόφυλλα άνοιξαν γυρίζοντας αθόρυβα πάνω στους μεντεσέδες.

Τώρα που το 'βλεπε από κοντά, το περιβόλι του φάνηκε πιο απάτητο από πρώτα. Μπήκε μέσα σοβαρός και κοίταξε γύρω του. Παντού σιγαλιά. Ως και το συντριβάνι, στη μέση του περιβολιού, ακουγόταν αχνά. Κι η εξαίσια ευωδιά ήταν παντού. Μακάριος τόπος. Και πολύ αυστηρός.

Το δέντρο το ξεχώρισε με την πρώτη ματιά, γιατί βρισκόταν στη μέση του περιβολιού κι ήταν φορτωμένο μεγάλα ασημένια μήλα, που άστραφταν κι έφεγγαν με δικό τους φως στις σκιερές μεριές όπου δεν έφτανε ο ήλιος. Προχώρησε ίσια κατά κει, έκοψε ένα

167

μήλο και το 'βαλε στην τσέπη του. Πριν το φυλάξει όμως, δεν άντεξε: κοντοστάθηκε, το περιεργάστηκε απ' όλες τις μεριές, και το μύρισε.

Αχ, τι το 'θελε; Δίψα τρομερή τον κυρίεψε μονομιάς, και πείνα, μια λαχτάρα να γευτεί τον καρπό. Τον έκρυψε στην τσέπη του βιαστικά. Μα είχε ένα σωρό μήλα! Άραγε, να μην κάνει να φάει ούτε ένα; Στο κάτω κάτω, είπε με το νου του, μπορεί να μην κατάλαβε καλά την προειδοποίηση πάνω στην πύλη. Μπορεί να 'ταν απλή συμβουλή – κι από συμβουλές, άλλο τίποτα. Κι αν ήταν πάλι διαταγή; Θα 'ταν πολύ κακό να φάει έστω ένα μηλαράκι; Ως τώρα, συμμορφώθηκε με το πρώτο μέρος που έλεγε να πάρει το μήλο «γι' άλλον».

Κι έτσι συλλογισμένος σήκωσε τα μάτια και κοίταξε ψηλά, στα κλαδιά της κορφής. Εκεί, σ' ένα κλαδί πάνω ακριβώς απ' το κεφάλι του, είχε κουρνιάσει ένα υπέροχο πουλί. Φαινόταν κοιμισμένο – αλλά μπορεί και να μην ήταν, γιατί είχε το 'να του μάτι μισάνοιχτο, μια τόση δα χαραμάδα. Ήταν πιο μεγάλο κι απ' τον αετό, κι είχε στήθος κίτρινο, ρόδινο λοφίο στο κεφάλι, και ουρά κατακόκκινη.

«Αυτό σημαίνει» – είπε ο Ντίγκορυ πολύ αργότερα, όταν έλεγε στους άλλους την ιστορία του – «πως πρέπει να 'χεις τα μάτια σου τέσσερα στους μαγικούς τόπους, γιατί ποτέ δεν ξέρεις ποιος μπορεί να σε παραφυλάει». Εγώ πάντως πιστεύω πως, είτε έτσι, είτε αλλιώς, ο Ντίγκορυ δε θα 'παιρνε ποτέ μήλο για τον εαυτό του. Εκείνο τον καιρό, μερικές εντολές όπως το Ου Κλέψεις, ήταν χαραγμένες καλά στα κεφάλια των παιδιών – έτσι μου φαίνεται εμένα. Και πάλι όμως, πού να ξέρει κανείς.

Ο Ντίγκορυ έκανε μεταβολή και τραβούσε για την

πύλη, αλλά κοντοστάθηκε να ρίξει άλλη μια ματιά τριγύρω. Και τότε, πήρε μια τρομάρα! Δεν ήταν μόνος. Λίγο πιο κει στεκόταν η Μάγισσα, κι ετοιμαζόταν να πετάξει την καρδιά του μήλου που είχε φάει. Το ζουμί του ήταν πιο σκούρο απ' όσο θα περίμενε κανείς, και της είχε κάνει έναν τρομερό λεκέ γύρω απ' το στόμα. Ο Ντίγκορυ κατάλαβε πως η Μάγισσα είχε σκαρφαλώσει απ' τον τοίχο, κι άρχισε να νιώθει καλύτερα το νόημα του τελευταίου στίχου, που έλεγε πως θα βρεις τον πόθο της καρδιάς σου, αλλά και μαύρη μοίρα. Η Μάγισσα φαινόταν πιο δυνατή και περήφανη από πρώτα – σαν να ζούσε το μεγάλο της θρίαμβο. Μόνο που η όψη της είχε μια χλομάδα νεκρική: ήταν κάτασπρη σαν το αλάτι.

'Ολα τούτα πέρασαν σαν αστραπή απ' το μυαλό του Ντίγκορυ. 'Επειτα έκανε μεταβολή κι όρμησε προς την πύλη όσο πιο γρήγορα μπορούσε, με τη Μάγισσα ξοπίσω του. Και μόλις βγήκε, η πύλη έκλεισε μοναχή της πριν περάσει η Μάγισσα, κι έτσι ο Ντίγκορυ κέρδισε απόσταση. Την ώρα που έφτασε στους άλλους, ξεφωνίζοντας: «Γρήγορα, Πόλυ! Ανέβα! Γρήγορα, Φτερωτέ!» η Μάγισσα είχε σκαρφαλώσει τον τοίχο – ή μπορεί και να τον πέρασε πετώντας – και τους ζύγωνε πάλι.

«Μην προχωρήσεις άλλο» φώναξε ο Ντίγκορυ γυρίζοντας, «γιατί αλλιώτικα θα γίνω άφαντος. Μην πλησιάσεις ούτε βήμα!»

«Κουτό παιδί» είπε η Μάγισσα. «Γιατί το 'βαλες στα πόδια; Εγώ δε θέλω το κακό σου. Κι αν δε σταθείς να μ' ακούσεις, θα χάσεις μια γνώση που μπορεί να σου χαρίσει παντοτινή ευτυχία».

«Να μένει το βύσσινο!» είπε ο Ντίγκορυ – αλλά στάθηκε.

170

«Ξέρω γιατί σ' έστειλαν εδώ» συνέχισε η Μάγισσα. «Χτες τη νύχτα ήμουν στο δάσος, σας ακολουθούσα από κοντά κι άκουσα τι λέγατε. Έκοψες έναν καρπό από το περιβόλι εκεί πάνω, και τώρα τον έχεις στην τσέπη σου. Και θα τον πας στο Λιοντάρι χωρίς να τον δοκιμάσεις. Για να τον φάει αυτό, και να γίνει παντοδύναμο. Ανόητε! Ξέρεις τι καρπό έχεις κόψει; Να σου το πω εγώ: το μήλο της νιότης, το μήλο της ζωής. Το ξέρω, γιατί το δοκίμασα, και νιώθω κιόλας μέσα του τόσες αλλαγές, που είμαι πια σίγουρη πως ούτε θα γεράσω ούτε θα πεθάνω ποτέ. Φά' το, παιδί μου, φα' το. Εμείς οι δυο θα ζήσουμε αιώνια και θα βασιλέψουμε σ' αυτό τον κόσμο, ή στον κόσμο σου, αν αποφασίσουμε να γυρίσουμε πίσω».

«Ευχαριστώ πολύ» είπε ο Ντίγκορυ, «μα δε θα μ' αρέσει και τόσο να 'μαι ζωντανός όταν θα 'χουν πια πεθάνει όλοι οι γνωστοί μου. Καλύτερα να ζήσω κανονικά, και να πεθάνω και να πάω στον παράδεισο».

«Και η μαμά σου – που λες ότι την αγαπάς τόσο πολύ;»

«Τι δουλειά έχει η μαμά μου;» είπε ο Ντίγκορυ.

«Μα δεν κατάλαβες, ηλίθιε; Μια δαγκωνιά απ' αυτό το μήλο θα τη γιατρέψει. Στην τσέπη σου το 'χεις, κι είμαστε μόνοι εδώ πάνω. Το Λιοντάρι είναι μακριά. Κάνε τα μαγικά και γύρνα στον κόσμο σου. Σε μια στιγμή, θα βρίσκεσαι στο προσκέφαλο της μητέρας σου και θα της δώσεις τον καρπό. Και σε πέντε λεπτά θα δεις το πρόσωπό της ροδοκόκκινο. Θα σου πει πως πέρασαν οι πόνοι. Κι όσο πάει θα δυναμώνει, κι ύστερα θ' αποκοιμηθεί. Σκέψου το! Λίγες ώρες ύπνος, γλυκός και φυσικός, χωρίς πόνους και φάρμακα. Και την άλλη μέρα όλοι θα 'χουν να το λένε πως έγινε θαύμα και συνήρθε. Και την παράλλη θα 'ναι εντελώς καλά. Κι όλα θα φτιάξουν. Το σπίτι σου θα 'ναι ξανά ευτυχισμένο. Και συ θα γίνεις σαν τ' άλλα παιδιά».

«Αχ!» έκανε ο Ντίγκορυ, σαν να πονούσε, κι έπιασε το κεφάλι του, γιατί τώρα καταλάβαινε πως βρίσκεται μπροστά σε φοβερό δίλημμα.

«Και – δε μου λες – από πού κι ως πού να γίνεις σκλάβος του Λιονταριού;» συνέχισε η Μάγισσα. «Τι έκανε για σένα το Λιοντάρι; Και τι μπορεί να σου κάνει αν ξαναγυρίσεις στον κόσμο σου; Άσε πια τι θα 'λεγε η μητέρα σου αν μάθαινε πως μπορούσες να τη γλιτώσεις απ' τους πόνους, και να της ξαναδώσεις τη ζωή, και να μην πικράνεις τον πατέρα σου! Και πως, αντί να τη σώσεις, προτίμησες να κάνεις θελήματα σ' ένα άγριο θηρίο, σ' έναν παράξενο κόσμο, χωρίς να 'ναι δική σου δουλειά!»

«Δε – δε μου φαίνεται και θηρίο» είπε ο Ντίγκορυ, κι ένιωσε το στόμα του να στεγνώνει. «Είναι – δεν ξέρω –»

«Κάτι χειρότερο» είπε η Μάγισσα. «Μα δε βλέπεις λοιπόν πώς σε κατάντησε; Τι άπονο που σ' έκανε; Έτσι γίνεται όποιος τον ακούει. Σκληρό κι άκαρδο παιδί! Προτιμάς να πεθάνει η μάνα σου παρά –»

«Πάψε πια!» φώναξε ο Ντίγκορυ, μα ήταν το χάλι του. «Λες πως δεν το βλέπω; Όμως – το υποσχέθηκα».

«Αλλά δεν ήξερες τι υποσχέθηκες. Και δεν είναι εδώ κανένας για να σ' εμποδίσει».

«Ούτε κι η μαμά μου θα το 'θελε» είπε ο Ντίγκορυ, προφέροντας τις λέξεις με δυσκολία. «Είναι πολύ αυστηρή – και λέει πως πρέπει να κρατάμε τις υποσχέσεις μας – και να μην κλέβουμε – ούτε τίποτα. Κι

αυτή θα μου 'λεγε να μην το κάνω – αν ήταν εδώ».
«Μα δε χρειάζεται να το μάθει» είπε η Μάγισσα
γλυκά, τόσο γλυκά που δε θα το περίμενε κανείς από
ένα πλάσμα με τόσο άγρια όψη. «Να μην της πεις
πώς βρήκες το μήλο. Ούτε κι ο πατέρας σου είναι
ανάγκη να το μάθει. Κανένας στον κόσμο σας δε
χρειάζεται να μάθει αυτή την ιστορία. Και, ξέρεις,
δεν είναι ανάγκη να πάρεις μαζί σου και το κορίτσι».
Εδώ ακριβώς, η Μάγισσα έκανε το μοιραίο λάθος.
Βέβαια, ο Ντίγκορυ ήξερε πως η Πόλυ μπορούσε να
φύγει με το δικό της δαχτυλίδι, όπως κι αυτός με το
δικό του. Όμως η Μάγισσα δεν το 'ξερε. Κι ήτανε
τόσο απαίσια όταν του 'λεγε ν' αφήσει την Πόλυ, που
άξαφνα τα λόγια της φάνηκαν κούφια, γεμάτα κα-
κία. Κι ο Ντίγκορυ, μ' όλο του το σάστισμα, ένιωσε
άξαφνα το μυαλό του να καθαρίζει, και είπε με πιο
δυνατή κι αλλιώτικη φωνή:
«Για να σου πω! Εσύ τι θες κι ανακατεύεσαι;
Έτσι, στα καλά καθούμενα σε πήρε ο πόνος για τη
μητέρα μου; Τι δουλειά έχεις εσύ μαζί της; Κάτι πας
να σκαρώσεις!»
«Μπράβο, Ντιγκς!» ψιθύρισε η Πόλυ. «Γρήγορα!
Πάμε να φύγουμε!» Δεν είχε τολμήσει να πει λέξη
όσο κρατούσε αυτή η κουβέντα γιατί, όπως καταλα-
βαίνετε, δεν ήταν ετοιμοθάνατη η δική της μαμά.
«Ώπλα!» έκανε ο Ντίγκορυ, και την ανέβασε στη
ράχη του Φτερωτού, και πίσω της σκαρφάλωσε κι
αυτός όσο πιο γρήγορα μπορούσε. Το άλογο άνοιξε
τα φτερά του.
«Καλό κατευόδιο, ηλίθιοι!» φώναξε η Μάγισσα.
«Και συ, μικρέ, θα με θυμηθείς όταν θα ξεψυχάς, γέ-
ρος κι ανήμπορος, και θα σκέφτεσαι πως πέταξες την
ευκαιρία της αιώνιας νιότης! Δε θα την ξαναβρείς

173

μπροστά σου!»

Είχαν ανέβει κιόλας τόσο ψηλά, που δεν την άκουγαν. Όμως, και η Μάγισσα, δεν κάθισε να τους κοιτάξει. Την είδαν που ξεκινούσε κατά το Βορρά, κατηφορίζοντας το λόφο.

Ήταν ακόμα νωρίς το πρωί, γιατί δε χασομέρησαν πολύ στο περιβόλι, κι έτσι η Πόλυ κι ο Φτερωτός λογάριασαν πως εύκολα θα 'φταναν στη Νάρνια πριν σκοτεινιάσει. Ο Ντίγκορυ ήταν αμίλητος σ' όλο το δρόμο του γυρισμού, κι οι άλλοι δυο τον ντράπηκαν και δεν του μίλησαν. Ένιωθε βαθιά λυπημένος, και δεν ήταν διόλου σίγουρος πως είχε κάνει καλά. Μόνο όταν θυμόταν τα δάκρυα που έλαμπαν στα μάτια του Ασλάν, έπαιρνε δύναμη.

Όλη μέρα πετούσε ο Φτερωτός με ακούραστα φτερά. Τραβούσε ανατολικά, ακολουθώντας το ποτάμι, πέρασε τα βουνά και τους άγριους δασωμένους λόφους, κι έπειτα τον πελώριο καταρράχτη, κι άρχισε να κατεβαίνει, όλο και πιο χαμηλά, στα δάση της Νάρνια που τα σκέπαζαν οι ίσκιοι του πελώριου βράχου, ώσπου με τα πολλά, την ώρα που πίσω τους κοκκίνιζε ο ουρανός στο λιόγερμα, είδαν πλήθος πλάσματα συναγμένα στην όχθη του ποταμού. Σε λίγο, ξεχώρισαν ανάμεσά τους τον Ασλάν. Κι ο Φτερωτός όλο κατέβαινε γλιστρώντας στον αέρα, κι έπειτα έκλεισε τα φτερά του και πάτησε στη γη κουτρουβαλώντας. Σηκώθηκε όμως αμέσως, και τα παιδιά ξεπέζεψαν. Κι ο Ντίγκορυ είδε ζώα και νάνους και σάτυρους και νύμφες και ένα σωρό άλλα πλάσματα να τραβιούνται και να παραμερίζουν για να του ανοίξουν δρόμο. Τράβηξε ολόισια στον Ασλάν, του πρόσφερε το μήλο και του είπε:

«Αφέντη, να το μήλο που μου γύρεψες!»

ΚΕΦΑΛΑΙΟ ΔΕΚΑΤΟ ΤΕΤΑΡΤΟ

Πώς φυτεύτηκε το δέντρο

«Μπράβο!» είπε ο Ασλάν, κι η φωνή του έκανε τη γη να τρέμει. Και τότε ο Ντίγκορυ κατάλαβε πως όλοι οι Ναρνιανοί είχαν ακούσει τα λόγια του Ασλάν, και πως η ιστορία θα πέρναγε από πατέρα σε γιο σ' εκείνο τον καινούριο κόσμο, στους αιώνες των αιώνων. Μα ο Ντίγκορυ δεν είχε φόβο να το πάρει απάνω του, γιατί τίποτα τέτοιο δεν του πέρασε απ' το νου τώρα που βρισκόταν μπροστά στον Ασλάν. Αυτή τη φορά, ανακάλυψε πως μπορούσε να κοιτάζει κατάματα το Λιοντάρι. Είχε ξεχάσει όλες τις σκοτούρες του κι ένιωθε πολύ ικανοποιημένος.

«Μπράβο, Γιε του Αδάμ!» ξανάπε το Λιοντάρι. «Για τούτο τον καρπό πείνασες και δίψασες κι έκλαψες. Κανένα χέρι έξω απ' το δικό σου δε θα σπείρει το Δέντρο που θα προστατεύει τη Νάρνια. Πέτα το μήλο στην όχθη του ποταμού, εκεί που είναι μαλακό το χώμα».

175

Ο Ντίγκορυ υπάκουσε. Όλοι είχαν βουβαθεί, κι ακούστηκε το μήλο που έσκαγε μαλακά στη λάσπη. «Καλή σπορά!» είπε ο Ασλάν. «Και τώρα, ας γίνει η στέψη του Βασιλιά Φραγκίσκου της Νάρνια, και της Βασίλισσας Ελένης». Τότε μόνο τους πρόσεξαν τα παιδιά. Ήταν ντυμένοι με κάτι ρούχα παράξενα κι όμορφα, κι από τους ώμους τους κρέμονταν μακριές μπέρτες. Τέσσερις νάνοι κρατούσαν την ουρά του βασιλιά, και την ουρά της βασίλισσας τέσσερις νύμφες του ποταμού. Στα κεφάλια τους δε φορούσαν τίποτα. Η Ελένη είχε ξέπλεκα τα μαλλιά της, και τους φάνηκε πολύ πιο ωραία. Δεν ήταν όμως τα ρούχα ούτε τα μαλλιά που τους έκαναν τόσο αλλιώτικους. Τα πρόσωπά τους είχαν αλλάξει έκφραση – και πιο πολύ το πρόσωπο του βασιλιά. Όλη η αγριάδα κι η πονηριά κι η καβγατζίδικη όψη του αμαξά του Λονδίνου είχαν σβήσει και τώρα έβλεπες καθαρά το θάρρος και την καλοσύνη που είχε πάντα. Μπορεί να 'φταιγε ο αέρας του νέου κόσμου, ή η συζήτηση με τον Ασλάν – μπορεί και τα δυο.

«Μα την πίστη μου!» ψιθύρισε ο Φτερωτός στην Πόλυ. «Καλέ, ο παλιός μου ο αφέντης άλλαξε πολύ! Σχεδόν όσο κι εγώ! Και τώρα είναι σωστός Αφέντης!»

«Δίκιο έχεις, αλλά μην ξεφυσάς έτσι στ' αυτί μου γιατί γαργαλιέμαι» είπε η Πόλυ.

«Και τώρα» είπε ο Ασλάν, «κάποιοι από σας ας ξεμπερδέψουν όλα αυτά τα δέντρα που κάνατε κουβάρι, να δούμε τι θα βρούμε μέσα».

Ο Ντίγκορυ είδε τέσσερα δέντρα, που φύτρωναν κοντά κοντά, κι είχαν όλα τα κλαδιά τους πλεγμένα και δεμένα, σαν κλουβί. Έπιασαν οι δυο ελέφαντες

176

με τις προβοσκίδες τους και κάτι νάνοι με τα τσεκου-
ράκια τους, και τα ξεμπέρδεψαν στο πι και φι. Και
μέσα βρήκαν τρία πράγματα. Πρώτα πρώτα, ένα μι-
κρό δεντράκι που έμοιαζε καμωμένο από χρυσάφι.
Έπειτα ένα άλλο δεντράκι, που φαινόταν ασημένιο.
Το τρίτο ήταν ένα τρισάθλιο κουβάρι με λασπωμένα
ρούχα, θρονιασμένο ανάμεσά τους.

«Μανούλα μου!» ψιθύρισε ο Ντίγκορυ. «Ο Θείος
Ανδρέας!»

Για να σας τα εξηγήσω όλα, πρέπει να γυρίσουμε
λιγάκι πίσω. Τα ζώα, όπως θα θυμόσαστε, είχαν δο-
κιμάσει να τον φυτέψουν, κι ύστερα τον πότισαν. Κι
όταν συνήρθε με τα νερά, ο θείος βρέθηκε μουσκίδι,
θαμμένος ως τα γόνατα στο χώμα (που είχε γίνει λά-
σπη), κι ολόγυρά του είδε τόσα άγρια θηρία, που μή-
τε στον ύπνο του δεν τα 'χε φανταστεί ποτέ. Δεν ήτα-

νε λοιπόν παράξενο που άρχισε να ουρλιάζει και να τσιρίζει – κι αυτό, από μιαν άποψη, του βγήκε σε καλό, γιατί επιτέλους όλοι βεβαιώθηκαν (ακόμα κι ο Αγριόχοιρος), πως πρόκειται για πλάσμα ζωντανό. Τον ξέθαψαν λοιπόν (μα το παντελόνι του είχε προλάβει να μουλιάσει για τα καλά), κι ο θείος, νιώθοντας τα πόδια του ελεύθερα, δοκίμασε να το σκάσει. Τότε η Ελεφαντίνα τον άρπαξε στα γρήγορα με την προβοσκίδα της από τη μέση, και τον σταμάτησε ώσπου να πεις κύμινο. Κι όλοι αποφάσισαν να τον κλείσουν κάπου να μην τους φύγει, ώσπου ν' αδειάσει ο Ασλάν και νά 'ρθει να τον δει, για να τους πει τι θα τον κάνουν. Έφτιαξαν λοιπόν ένα κλουβί – για την ακρίβεια, ένα κοτέτσι – και του 'βαλαν μέσα φαΐ και νερό.

Ο Γάιδαρος μάζεψε ένα σωρό γαϊδουράγκαθα και του τα πέταξε, αλλά ο Θείος Ανδρέας δεν του φάνηκε ορεξάτος. Οι Σκίουροι τον βομβάρδισαν με καρύδια, αλλά εκείνος κρατούσε σφιχτά το κεφάλι του και κοίταζε να τ' αποφύγει. Κάμποσα πουλιά, πολύ εργατικά, έκαναν δρομολόγια και του κουβαλούσαν σκουλήκια. Ιδιαίτερα περιποιητική ήταν η Αρκούδα. Το ίδιο απόγευμα είχε πετύχει ένα άγριο μελίσσι, κι αντί να το κρατήσει για τον εαυτό της (όπως θα προτιμούσε, άλλωστε) είχε την καλοσύνη να το φέρει πεσκέσι στο Θείο Ανδρέα. Αυτό πια ήταν η χαριστική βολή. Η Αρκούδα έριξε στο κλουβί την κερήθρα, που κολλούσε ολόκληρη απ' τα μέλια, και δυστυχώς πέτυχε το θείο στα μούτρα μ' ένα τρικούβερτο Πλατς! (Ξέχασα μάλιστα να σας πω ότι οι περισσότερες μέλισσες ήταν ακόμα ζωντανές). Βέβαια, την Αρκούδα δε θα την πείραζε να φάει κατάμουτρα ολόκληρη κερήθρα, γι' αυτό δεν κατάλαβε τι τον έπιασε το Θείο

178

Ανδρέα και παραπάτησε και γλίστρησε κι έσκασε χάμω με τον πισινό. Και, για κακή του τύχη, θρονιάστηκε πάνω στα γαϊδουράγκαθα. «Έστω και με το ζόρι, όλο και λίγο μέλι θα κατάπιε το Ζωντανό» είπε ο Αγριόχοιρος, «Θα του κάνει καλό». Είχαν αρχίσει να το συμπαθούν αυτό το παράξενο ζωάκι, και μέσα τους εύχονταν να τους το αφήσει ο Ασλάν δικό τους. Τα πιο έξυπνα όμως, είχαν πια βεβαιωθεί πως ένας απ' τους ήχους που έβγαζε αυτό το ζώο είχε κάποιο νόημα, κι έτσι το βάφτισαν Κονιακάκι, γιατί αυτό τον ήχο έβγαζε πιο συχνά.

Στο τέλος αναγκάστηκαν να τον παρατήσουν γιατί νύχτωσε. Όλη μέρα ο Ασλάν ήταν πολύ απασχολημένος, έδινε οδηγίες στον καινούριο βασιλιά και στη βασίλισσα· κι ύστερα, είχε κι άλλες σημαντικές δουλειές – πού καιρός για το «καημένο το Κονιακάκι»! Το βέβαιο είναι πως ο θείος, κάτι με τα καρύδια πυ του πέταξαν, κάτι με τ' αχλάδια, τα μήλα και τις μπανάνες, είχε δειπνήσει καλούτσικα. Θα 'ταν όμως ψέματα να πούμε πως πέρασε καλή νύχτα.

«Βγάλτε έξω αυτό το πλάσμα» είπε ο Ασλάν. Ο Ελέφαντας σήκωσε το Θείο Ανδρέα με την προβοσκίδα του και τον απόθεσε στα πόδια του Λιονταριού. Ο θείος είχε τέτοια τρομάρα, που δεν τολμούσε να σαλέψει.

«Ασλάν, σε παρακαλώ» πετάχτηκε η Πόλυ, «πες του κάτι για να – για να ξετρομάξει! Και να του πεις να μην ξαναγυρίσει εδώ!»

«Λες να το θέλει;» ρώτησε ο Ασλάν.

«Μπορεί να στείλει κανέναν άλλο» είπε η Πόλυ. «Ξέρεις, ενθουσιάστηκε με το φανοστάτη που φύτρωσε, και νομίζει –»

«Κουταμάρες, μικρό μου» είπε ο Ασλάν. «Αυτός ο

179

κόσμος θα ξεχειλίζει από ζωή τώρα για λίγες μέρες, γιατί το τραγούδι που τον γέννησε κρέμεται ακόμα στον αέρα και κυλάει στο χώμα. Σε λίγο θα σβήσει. Όσο γι' αυτόν το γερο-αμαρτωλό, δεν μπορώ να του πω τίποτα, ούτε να τον παρηγορήσω. Έτσι που τα κατάφερε, δεν ακούει τη φωνή μου. Αν του μιλήσω, θ' ακούσει μόνο ουρλιαχτά και μουγκρητά. Αχ, παιδιά του Αδάμ, τι έξυπνα που αντιστεκόσαστε όταν προσπαθούν να σας ευεργετήσουν! Θα του κάνω όμως το μόνο δώρο που μπορεί να δεχτεί τώρα πια».

Έσκυψε λυπημένος το μεγάλο κεφάλι του, κι ανάσανε στο τρομοκρατημένο μούτρο του μάγου: «Κοιμήσου. Κοιμήσου να γλιτώσεις απ' τα βάσανα που μόνος σου προκάλεσες». Κι αμέσως, ο Θείος Ανδρέας έγειρε, έκλεισε τα μάτια, κι άρχισε να αναπνέει ήρεμα.

«Πάρτε τον και ξαπλώστε τον» είπε ο Ασλάν. «Και τώρα, νάνοι, για να δω πόσο άξιοι σιδεράδες είσαστε! Θέλω να φτιάξετε κορόνες για το βασιλιά και τη βασίλισσα».

Και τότε, μιλιούνια νάνοι, τόσοι που μήτε στ' όνειρό σας τους έχετε δει όρμησαν στο χρυσό δεντράκι, κι έκοψαν όλα του τα φύλλα και μερικά κλαδιά. Και τότε τα παιδιά είδαν πως το δέντρο ήταν φτιαγμένο από αληθινό, μαλακό χρυσάφι. Βέβαια, είχε φυτρώσει απ' τα χρυσά μισόλιρα που έπεσαν από την τσέπη του θείου, όταν τον αναποδογύρισαν, και το ασημένιο δεντράκι είχε φυτρώσει απ' τις μισές κορόνες. Κι έτσι, απ' το τίποτα, προτού το καταλάβουν, μαζεύτηκαν αμέσως σωροί ξερά πουρνάρια για προσάναμμα, φρύγανα και σφυριά, τσιμπίδες, φυσερά. Κι οι νάνοι αγαπούσαν τόσο τη δουλειά τους, που σε μισό λεπτό είχε πυρώσει η φωτιά, τα φυσερά μούγκριζαν, έλιωνε το χρυσάφι και τα σφυριά κουδούνιζαν. Πρωί πρωί, ο Ασλάν είχε στείλει δυο Ποντικούς να σκάψουν (άλλο που δεν ήθελαν!) και τώρα ξαναγύρισαν κουβαλώντας πολύτιμα πετράδια, και τ' άδειασαν στα πόδια των νάνων. Και κάτω από τα επιδέξια δάχτυλα των μικρών σιδεράδων, άρχισαν να παίρνουν μορφή οι δυο κορόνες – όχι απ' αυτές τις χοντροκομμένες,

τις βαριές που φοράνε σήμερα στην Ευρώπη, μα λεπτές κι ανάλαφρες, δυο ωραία στεφάνια που μόνο για στολίδι ήτανε να τα φοράς. Του βασιλιά είχε ρουμπίνια, και της βασίλισσας σμαράγδια.

Κι όταν κρύωσαν οι κορόνες στο ποτάμι, ο Ασλάν έβαλε το Φραγκίσκο και την Ελένη να γονατίσουν μπροστά του, και τους έστεψε. Έπειτα είπε: Σήκω, βασιλιά, σήκω βασίλισσα της Νάρνια, πατέρα και μητέρα των αμέτρητων βασιλιάδων που θα βασιλέψουν στη Νάρνια και στα Νησιά και στην Αρχελάνδη. Να 'σαστε δίκαιοι, γενναίοι και σπλαχνικοί. Ευλογημένοι να 'στε!»

Κι όλοι φώναζαν Ζήτω, και γάβγιζαν και χλιμίντρι-
ζαν και ρουθούνιζαν και χτυπούσαν τα φτερά τους,
και το βασιλικό ζευγάρι στεκόταν ήρεμο και κάπως
ντροπαλό – κι έμοιαζε ακόμα πιο ευγενικό μες στη
ντροπαλοσύνη του. Κι ο Ντίγκορυ, που ακόμα ζητω-
κραύγαζε, άκουσε δίπλα του τη βαθιά φωνή του Ασ-
λάν:
«Κοιτάχτε!»
Κι όλο το πλήθος γύρισε μεμιάς το κεφάλι, κι όλοι
κράτησαν την ανάσα τους από το σάστισμα και τη
χαρά. Λίγο πιο πέρα, τόσο ψηλό, που ορθωνόταν πά-
νω απ' τα κεφάλια τους, ήταν ένα δέντρο που σίγου-
ρα δε βρισκόταν εκεί λίγο πριν. Πρέπει να 'χε φυ-
τρώσει αθόρυβα, (μα τόσο γρήγορα, όπως ανεβαίνει
η σημαία όταν τραβήξεις το σκοινί), την ώρα που
όλοι πρόσεχαν τη στέψη. Τ' απλωτά κλαδιά Του
έφεγγαν, αντί να ρίχνουν ίσκιο, και κάτω από το κά-
θε φύλλο μισοφαίνονταν μήλα ασημένια, σαν αστέ-
ρια. Μα πιο πολύ απ' την όψη τους, όλους τους θά-
μπωσε η ευωδιά τους, κι ανάσαναν βαθιά. Για μια
στιγμή, τίποτ' άλλο δεν μπορούσαν να σκεφτούν.
    «Γιε του Αδάμ» είπε ο Ασλάν, «καλή η σπορά σου.
Και σεις, Ναρνιανοί, πρώτη σας έγνοια θα 'χετε αυτό
το δέντρο. Να το φυλάτε καλά, γιατί είναι η ασπίδα
σας. Η Μάγισσα που σας έλεγα το 'σκασε, και φεύγει
κατά το Βορρά αυτού του κόσμου. Εκεί θα μείνει,
και θα δυναμώνει με τα σκοτεινά της μάγια. Μα όσο
ανθίζει αυτό το δέντρο, δε θα πατήσει το πόδι της
στη Νάρνια. Δε θα τολμήσει να ζυγώσει στα εκατό
μίλια από το δέντρο, γιατί η ευωδιά του, που για σας
είναι χαρά, ζωή και υγεία, είναι για κείνην θάνατος,
τρόμος και απόγνωση».
    Όλοι κοιτούσαν σοβαροί το δέντρο, όταν ξάφνου

ο Ασλάν γύρισε το κεφάλι (τινάζοντας παντού χρυσές ανταύγειες απ' τη χαίτη του), και κάρφωσε τα μεγάλα μάτια του στα παιδιά. «Τι τρέχει, παιδιά μου;» ρώτησε, γιατί τα 'πιασε να σιγοψιθυρίζουν και να σκουντάει το 'να τ' άλλο.

«Αχ, Ασλάν!» έκανε ο Ντίγκορυ και κοκκίνισε, «ξέχασα να σου πω! Η Μάγισσα έφαγε ένα μήλο, ίδιο με του δέντρου». Δεν είπε όλη του τη σκέψη, μα τη συμπλήρωσε η Πόλυ. Πάντα ο Ντίγκορυ φοβόταν περισσότερο από εκείνη μην τύχει και φανεί ανόητος.

«Κι έτσι σκεφτήκαμε» συνέχισε η Πόλυ, «πως κάποιο λάθος θα 'χει γίνει, κι ίσως να μην την πειράζει η μυρωδιά των μήλων».

«Και πώς το σκέφτηκες, Κόρη της Εύας;» ρώτησε το Λιοντάρι.

«Μα αφού το 'φαγε!»

«Γι' αυτό όλα τ' άλλα μήλα θα της φέρνουν τρόμο, παιδί μου» είπε το Λιοντάρι. «Το ίδιο παθαίνουν όσοι κόβουν τον καρπό για να τον φάνε όταν δεν πρέπει, ούτε όπως πρέπει. Ο καρπός είναι καλός, μα από κει και πέρα τον σιχαίνονται».

«Κατάλαβα» είπε η Πόλυ. «Και τώρα που δεν το έφαγε όπως πρέπει, δε θα της κάνει τίποτα! Θέλω να πω, δε θα την κάνει νέα για πάντα...»

«Αλίμονο» την έκοψε ο Ασλάν κουνώντας το κεφάλι. «Θα την κάνει. Όλα τα πράγματα ακολουθούν τη φύση τους. Κέρδισε αυτό που λαχταρούσε η καρδιά της, ν' αποκτήσει δύναμη ακούραστη κι αιώνια ζωή, σαν θεά. Μα όποιος έχει μέσα του τέτοια κακία, δε χαίρεται, γιατί όσο ζει, τόσο μεγαλώνει η δυστυχία του κι η Μάγισσα πρέπει να το 'χει καταλάβει τώρα που μιλάμε. Καθένας παίρνει αυτό που θέλει: και δεν του αρέσει πάντα».

184

«Πα – παραλίγο να φάω κι εγώ» είπε ο Ντίγκορυ.
«Θα –»
«Ναι, παιδί μου» είπε ο Ασλάν. «Ο καρπός κάνει πάντα τη δουλειά του – και πρέπει να την κάνει – μα δεν την κάνει καλά για όποιον τον κόβει με το έτσι θέλω. Αν κάποιος Ναρνιανός παράκουγε κι έκλεβε το μήλο για να το φυτέψει και να φυλάει τη Νάρνια, θα τα κατάφερνε. Όμως η Νάρνια θα γινόταν μια σκληρή και παντοδύναμη αυτοκρατορία σαν την Τσάρνη, κι όχι χώρα της καλοσύνης όπως σχεδιάζω. Και – δε μου λες, γιε μου – η Μάγισσα σ' έβαλε στον πειρασμό να κάνεις και κάτι άλλο – ή μήπως όχι;»
«Ναι, Ασλάν. Μου 'πε να πάω το μήλο στη μητέρα μου».
«Μάθε λοιπόν, πως θα τη γιάτρευε – μα ούτε συ θα το χαιρόσουν, ούτε εκείνη. Θα 'ρχότανε μια μέρα που θα το σκεφτόσαστε κι οι δυο, και θα παρακαλούσατε να 'χε πεθάνει απ' την αρρώστια».
Ο Ντίγκορυ δεν μπόρεσε να μιλήσει γιατί τα δάκρυα τον έπνιξαν. Τώρα πια είχε χάσει κάθε ελπίδα να σώσει τη μαμά του. Κι ωστόσο, την ίδια στιγμή, κατάλαβε πως το Λιοντάρι γνώριζε τι θα μπορούσε να συμβεί, και πως υπήρχε και κάτι άλλο, πιο τρομερό, παρά να χάσεις από θάνατο κάποιον που αγαπάς. Κι ο Ασλάν ξαναμίλησε, σχεδόν ψιθυριστά:
«Όλα αυτά μπορούσαν να συμβούν μ' ένα κλεμμένο μήλο, γιε μου. Τώρα όμως είναι αλλιώτικα. Το μήλο που θα σου δώσω θα φέρει χαρά. Στο δικό σου κόσμο δε χαρίζει την αθανασία. Μόνο γιατρεύει. Εμπρός! Κόψε το μοναχός σου απ' το δέντρο».
Για μια στιγμή ο Ντίγκορυ τα σάστισε. Λες κι ο κόσμος γύριζε τα μέσα έξω και τα πάνω κάτω. Κι έπειτα, σαν να βρίσκεται σε όνειρο, πλησίασε το δέ-

185

ντρο κι έκοψε ένα μήλο, και γύρω του ο βασιλιάς και η βασίλισσα κι όλα τα πλάσματα επευφημούσαν. Ο Ντίγκορυ έβαλε το μήλο στην τσέπη κι έτρεξε στον Ασλάν.

«Σε παρακαλώ» είπε, «μπορούμε να γυρίσουμε αμέσως πίσω;» Είχε ξεχάσει να πει ευχαριστώ, μα το είχε στο μυαλό του, κι ο Ασλάν το διάβασε.

Έτσι τελειώνει αυτή η ιστορία κι αρχίζουν όλες οι άλλες

«Όταν είμαι εγώ μαζί σας, δε χρειάζονται δαχτυλίδια» είπε ο Ασλάν. Τα παιδιά ανοιγόκλεισαν τα μάτια και κοίταξαν γύρω τους. Βρίσκονταν πάλι στο Δάσος Ανάμεσα στους Κόσμους, κι ο Θείος Ανδρέας, ξαπλωμένος στα χόρτα, κοιμόταν του καλού καιρού. Δίπλα τους στεκόταν ο Ασλάν.

«Ελάτε» είπε το Λιοντάρι, «ώρα να γυρίσετε! Μα πρώτα πρέπει να σας δείξω δύο πράγματα: μια προειδοποίηση και μια διαταγή. Κοιτάξτε εδώ, παιδιά μου».

Κοίταξαν, κι είδαν μια λακκούβα στο χορτάρι. Στον πάτο της είχε χόρτα ξερά και ζεστά.

«Την τελευταία φορά που περάσατε από δω» είπε ο Ασλάν, «αυτός ο λάκκος ήτανε λιμνούλα. Πηδήξατε μέσα, και βγήκατε σ' έναν κόσμο όπου ο μισοπεθαμένος ήλιος έφεγγε στα ερείπια της Τσάρνης. Τώρα δεν

187

έχει πια λιμνούλα. Ο κόσμος τέλειωσε, σαν να μην υπήρξε ποτέ. Κι αυτό ας είναι μια προειδοποίηση για το γένος του Αδάμ και της Εύας».

«Ναι, Ασλάν» είπαν και τα δυο παιδιά. Κι η Πόλυ πρόσθεσε: «Όμως εμείς δεν είμαστε τόσο κακοί σαν τον άλλο κόσμο, ε Ασλάν;»

«Όχι ακόμα, Κόρη της Εύας» απάντησε το Λιοντάρι. «Όχι ακόμα. Μα όσο πάτε, όλο και του μοιάζετε. Πού ξέρεις; Ίσως κάποιος κακός, απ' το δικό σας γένος, βρει κανένα μυστικό σαν τη Μοιραία Λέξη, και το χρησιμοποιήσει για να καταστρέψει τα πάντα. Και σύντομα, πολύ σύντομα, προτού γεράσετε, τα μεγάλα έθνη του κόσμου θα κυβερνιούνται από τυράννους, που δε θα νοιάζονται πια για τη χαρά, τη δικαιοσύνη και τη συμπόνια, όπως δε νοιαζόταν η αυτοκράτειρα Τζάντις. Πέστε στον κόσμο σας να προσέχει. Αυτή είναι η προειδοποίηση. Και τώρα η διαταγή: Με την πρώτη ευκαιρία, να πάρεις απ' το θείο σου τα μαγικά δαχτυλίδια και να τα θάψεις, για να μην τα βρει ποτέ κανένας άλλος».

Τα παιδιά κοιτούσαν κατάματα το Λιοντάρι που τους μιλούσε. Κι άξαφνα (ποτέ τους δεν κατάλαβαν πώς ακριβώς), το πρόσωπό του έγινε μια θάλασσα από χρυσάφι που στροβιλιζόταν, κι έπλεαν μέσα της, και τέτοια γλύκα και δύναμη τα τύλιξε, τα σκέπασε και τα πλημμύρισε, που ένιωσαν πως ποτέ δεν ήταν τόσο ευτυχισμένα, τόσο γεμάτα γνώση και καλοσύνη, και ποτέ δεν ήταν τόσο ζωντανά και ξύπνια όσο εκείνη τη στιγμή. Αυτή η ανάμνηση έμεινε μέσα τους παντοτινή. Κι όσο έζησαν κι οι δυο τους, κάθε που ένιωθαν λύπη, φόβο ή οργή, ξαναγυρνούσε η σκέψη εκείνης της ολόχρυσης καλοσύνης, κι η αίσθηση πως βρισκόταν ακόμα εκεί, κάπου κοντά τους, στην άλλη

188

γωνιά ή πίσω από την πόρτα, και στο βάθος της καρδιάς τους ένιωθαν σίγουροι πως όλα θα πάνε καλά. Και την άλλη στιγμή, κι οι τρεις μαζί (με το Θείο Ανδρέα που είχε ξυπνήσει), μπήκαν κουτρουβαλώντας στο θόρυβο, τη ζέστη και τη χλιαρή μυρωδιά του Λονδίνου.

Βρέθηκαν πάλι στο πεζοδρόμιο, έξω απ' την πόρτα των Κέτερλυ. Εκτός από τη Μάγισσα, τον αμαξά και το άλογο, όλα τ' άλλα ήταν όπως τα 'χαν αφήσει. Από το φανοστάτη έλειπε το 'να μπράτσο, η άμαξα ήταν κομμάτια, και γύρω μαζευόταν κόσμος. Όλοι κουβέντιαζαν ακόμα, και μερικοί είχαν γονατίσει πλάι στον τραυματισμένο αστυνομικό και φώναζαν «Συνέρχεται!» και «Πώς νιώθεις φιλαράκο;» και «Όπου να 'ναι θά 'ρθει το ασθενοφόρο».

«Αυτό πια είναι ανήκουστο!» σκέφτηκε ο Ντίγκορυ. «Τόσες περιπέτειες ζήσαμε, κι είναι σαν να μην πέρασε ούτε λεπτό!»

Οι περισσότεροι έψαχναν ακόμα αλαφιασμένοι για την Τζάντις και το άλογο. Τα παιδιά δεν τα πρόσεξε κανένας, γιατί δεν τα 'χαν δει ούτε να φεύγουν, ούτε να γυρίζουν. Όσο για το Θείο Ανδρέα... Τα ρούχα του είχαν τέτοια κατάντια, και τα μούτρα του ήταν γεμάτα μέλι, κι έτσι κανένας δεν τον γνώρισε. Για καλή τους τύχη, η ξώπορτα είχε μείνει ανοιχτή γιατί η υπηρέτρια καθόταν στο κατώφλι και χάζευε το σαματά (μέρα κι αυτή!). Τα παιδιά έχωσαν μέσα το θείο πριν προλάβει κανείς να τους ρωτήσει.

Ο Θείος Ανδρέας όρμησε πρώτος στις σκάλες, και στην αρχή φοβήθηκαν μήπως πηγαίνει στη σοφίτα να κρύψει τα υπόλοιπα μαγικά δαχτυλίδια – μα άδικα ανησύχησαν. Αυτός σκεφτόταν μόνο την μπουκάλα στο ντουλάπι του. Τρύπωσε μια και δυο στην κάμαρά

189

του, κλείδωσε την πόρτα, κι όταν ξαναβγήκε (έπειτα από πολλή ώρα), είχε φορέσει τη νυχτικιά του και τράβηξε γραμμή στο μπάνιο.

«Πόλυ, τρέχα να βρεις τ' άλλα δαχτυλίδια» είπε ο Ντίγκορυ. «Εγώ πάω στη μαμά μου».

«Εντάξει, θα τα πούμε μετά» είπε η Πόλυ, κι ανέβηκε τρεχάτη στη σοφίτα.

Ο Ντίγκορυ κοντοστάθηκε να ξελαχανιάσει, κι έπειτα μπήκε αθόρυβα στην κάμαρα της μητέρας. Ήταν ξαπλωμένη, όπως όλες τις φορές, πάνω στα μαξιλάρια, κι είχε ένα πρόσωπο τόσο χλομό κι αδύνατο, που σου 'φερνε δάκρυα στα μάτια. Ο Ντίγκορυ έβγαλε απ' την τσέπη του το Μήλο της Ζωής.

Κι όπως η Μάγισσα είχε φανεί αλλιώτικη όταν την είδαν στο δικό μας κόσμο κι όχι στο δικό της, έτσι κι ο καρπός από το περιβόλι των βουνών ήταν αλλιώτικος τώρα. Μέσα στην κάμαρα τα πράγματα είχαν ένα σωρό χρώματα – το κάλυμμα του κρεβατιού, η ταπετσαρία, το φως του ήλιου απ' το παράθυρο, κι η ωραία αχνογάλαζη λιζέζα της μητέρας. Μα μόλις έβγαλε ο Ντίγκορυ το μήλο από την τσέπη του, όλα τα άλλα φάνηκαν να χάνουν το χρώμα τους. Όλα, ακόμα και το φως του ήλιου, έμοιαζαν ξεθωριασμένα και θαμπά. Το μήλο άστραφτε κι έριχνε παράξενα φωτάκια στο ταβάνι. Δεν άξιζε να κοιτάξεις τίποτα άλλο – κι ούτε μπορούσες να κοιτάξεις, εδώ που τα λέμε. Κι ευωδίαζε τόσο το Μήλο της Νιότης, σαν να είχε ανοίξει ένα παράθυρο στον ουρανό.

«Τι όμορφο που είναι, αγάπη μου» είπε η μητέρα.

«Σε παρακαλώ, φά ' το» είπε ο Ντίγκορυ.

«Δεν ξέρω τι θα πει ο γιατρός» απάντησε η μητέρα. «Μα – μου φαίνεται πως το θέλω».

Της το καθάρισε, το 'κοψε, και της το τάισε κομματάκι κομματάκι. Και μόλις το τέλειωσε, η μητέρα χαμογέλασε, και το κεφάλι της έγειρε στο μαξιλάρι κι αποκοιμήθηκε. Ήταν ένας ύπνος πραγματικός, φυσικός κι απαλός, χωρίς απαίσια φάρμακα. Το 'ξερε ο Ντίγκορυ πως μόνο αυτό τον ύπνο χρειαζόταν η μαμά του. Και τώρα ήταν σίγουρος πως η όψη της

έμοιαζε λίγο αλλιώτικη. Έσκυψε και τη φίλησε πολύ απαλά, κι ύστερα βγήκε κλεφτά από το δωμάτιο, ενώ η καρδιά του κόντευε να σπάσει. Τα φλούδια και τα κουκούτσια του μήλου τα πήρε μαζί του. Εκείνη τη μέρα, όσο κοιτούσε γύρω του κι έβλεπε πως όλα ήταν τόσο συνηθισμένα και διόλου μαγικά, δεν τολμούσε καν να ελπίσει. Μα όταν θυμόταν το πρόσωπο του Ασλάν, πάλι η ελπίδα τον πλημμύριζε.

Το ίδιο βράδυ, έθαψε ό,τι απόμενε απ' το μήλο πίσω στον κήπο.

Και την άλλη μέρα, που ήρθε ο γιατρός για τη συνηθισμένη του επίσκεψη, ο Ντίγκορυ έσκυψε πάνω απ' τα κάγκελα και κρυφάκουσε. Άκουσε το γιατρό που έβγαινε μαζί με τη Θεία Λέτυ κι έλεγε:

«Δεσποινίς Κέτερλυ, τόσα χρόνια που είμαι γιατρός δεν έχω δει πιο καταπληκτική περίπτωση. Μοιάζει – μοιάζει με θαύμα. Για την ώρα, ας μην πούμε τίποτα στο παιδί. Δεν πρέπει να του δώσουμε ψεύτικες ελπίδες. Πάντως, η γνώμη μου είναι –» κι εδώ χαμήλωσε τη φωνή του κι ο Ντίγκορυ δεν άκουσε άλλο.

Το ίδιο απόγευμα κατέβηκε στον κήπο και σφύριξε στην Πόλυ συνθηματικά. Δεν τα 'χαν καταφέρει να ιδωθούν την προηγούμενη μέρα.

«Τι έγινε;» ρώτησε η Πόλυ από τη μάντρα. «Για τη μαμά σου λέω».

«Μου φαίνεται – μου φαίνεται πως θα γίνει καλά» είπε ο Ντίγκορυ. «Αλλά, αν δε σε πειράζει, καλύτερα να μην το κουβεντιάσουμε ακόμα. Τι έκανες με τα δαχτυλίδια;»

«Τα πήρα. Όλα. Κοίτα: έχω βάλει γάντια και τα πιάνω άφοβα! Έλα να τα θάψουμε!»

«Έλα. Έχω σημαδέψει ένα μέρος, εκεί που έθαψα χτες τα φλούδια του μήλου».

Η Πόλυ σκαρφάλωσε στον τοίχο και πήγαν μαζί στη μυστική μεριά. Και, όπως αποδείχτηκε, ο Ντίγκορυ είχε ξεχάσει να βάλει σημάδι. Μα κάτι φύτρωνε κιόλας. Ψήλωνε τόσο γρήγορα, που το 'βλεπες να μεγαλώνει, σαν τα δέντρα της Νάρνια. Είχε σηκωθεί κάμποσο απ' το χώμα. Πήραν ένα φτυάρι, κι έθαψαν γύρω του όλα τα μαγικά δαχτυλίδια, μαζί με τα δικά τους.

Σε μια βδομάδα ήταν πια βέβαιο πως η μαμά του

Ντίγκορυ θα γινόταν καλά. Σε δυο βδομάδες, καθόταν στον κήπο. Και σ' ένα μήνα, όλο το σπίτι είχε αλλάξει όψη. Η Θεία Λέτυ δεν της χάλασε χατίρι. Άνοιξαν τα παράθυρα, κι οι βαριές κουρτίνες τραβήχτηκαν για να μπει φως στα δωμάτια, είχαν παντού λουλούδια, και πιο νόστιμα φαγιά, το παλιό πιάνο κουρδίστηκε, κι η μητέρα ξανάρχισε το τραγούδι, κι έκανε τέτοια παιχνίδια με τον Ντίγκορυ και την Πόλυ, που η Θεία Λέτυ έλεγε: «Μέημπελ! Θαρρώ πως είσαι το πιο μεγάλο μωρό απ' τα τρία!»

Όταν τα πράγματα πάνε στραβά, τα βλέπεις να χειροτερεύουν για ένα διάστημα. Μα όταν αρχίσουν να πηγαίνουν καλά, πάνε όλο και καλύτερα. Έξι βδομάδες πέρασαν έτσι όμορφα, και πάνω στην έκτη έφτασε ένα μεγάλο γράμμα του πατέρα απ' τις Ινδίες, με θαυμάσιες ειδήσεις. Είχε πεθάνει ένας προπροπάππος των Κερκ, κι αυτό σήμαινε μάλλον πως ο πατέρας είχε γίνει πολύ πλούσιος. Θ' άφηνε τη δουλειά και θα γύριζε για καλά απ' τις Ινδίες. Και τώρα, το μεγάλο σπίτι στην εξοχή, που όλο τ' άκουγε ο Ντίγκορυ αλλά δεν το 'χε δει ποτέ, θα γινόταν δικό τους. Το μεγάλο αρχοντικό με τις πανοπλίες, τους στάβλους, τα κελάρια, το ποτάμι, το πάρκο, τα θερμοκήπια, τ' αμπέλια και τα δάση και, πέρα, τα βουνά. Ο Ντίγκορυ ήταν πια σίγουρος – όπως είσαστε κι εσείς – πως θα ζούσαν ευτυχισμένοι από δω και μπρος. Ίσως θα θέλετε όμως να μάθετε δυο τρία πραγματάκια ακόμα.

Η Πόλυ κι ο Ντίγκορυ έμειναν πρώτοι φίλοι, κι η Πόλυ πήγαινε σχεδόν πάντα για διακοπές στο ωραίο σπίτι του στην εξοχή. Εκεί έμαθε ιππασία και κολύμπι και ορειβασία, έμαθε ν' αρμέγει και να φουρνίζει το ψωμί.

Στη Νάρνια, τα ζώα ζούσαν χαρούμενα και ειρηνικά. Ούτε η Μάγισσα ούτε άλλος εχθρός δεν ήρθε να ταράξει την όμορφη χώρα τους, χρόνους πολλούς. Ο βασιλιάς Φραγκίσκος κι η Βασίλισσα Ελένη και τα παιδιά τους έζησαν όμορφα κι ευτυχισμένα, κι ο δεύτερος γιος τους έγινε βασιλιάς της Αρχελάνδης. Τα αγόρια παντρεύτηκαν νύμφες, και τα κορίτσια θεούς των δασών και του ποταμού. Κι ο φανοστάτης, που άθελά της είχε φυτέψει η Μάγισσα, έλαμπε μέρα νύχτα στο δάσος της Νάρνια, και το μέρος εκείνο ονομάστηκε Η Ερημιά με το Φανάρι. Κι όταν, χρόνια αργότερα, ένα άλλο παιδί απ' τον κόσμο μας μπήκε στη Νάρνια μια χιονισμένη νύχτα, βρήκε το φως να καίει ακόμα. Γιατί και η δική του περιπέτεια έχει κάποια σχέση με τις άλλες, που σας εξιστόρησα σ' αυτό το βιβλίο.

Όσο για το δέντρο που φύτρωσε απ' το μήλο στον κήπο του Ντίγκορυ, φούντωνε και θέριευε κι ομόρφαινε. Τρεφόταν όμως απ' το χώμα του δικού μας κόσμου, μακριά απ' τη φωνή του Ασλάν και τον καινούριο αέρα της Νάρνια, κι έτσι τα μήλα του δεν μπορούσαν να γιατρέψουν τους ετοιμοθάνατους, όπως τότε τη μαμά του Ντίγκορυ. Ήταν πάντως τα πιο ωραία μήλα της Αγγλίας, περίφημα μήλα, κι ας μην ήταν εντελώς μαγικά. Μέσα του όμως, μέσα στους χυμούς του, το δέντρο εκείνο δεν ξέχασε ποτέ τη μάνα του, το δέντρο της Νάρνια. Καμιά φορά το έβλεπες να κουνιέται ανεξήγητα, κι ας μη φυσούσε καθόλου. Νομίζω πως αυτό συνέβαινε όταν σηκωνόταν αέρας στη Νάρνια, και το αγγλικό δέντρο κουνιόταν γιατί, την ίδια στιγμή, σάλευε πέρα δώθε το δέντρο της Νάρνια με τους δυτικούς ανέμους. Έτσι κι αλλιώς, όπως αποδείχτηκε αργότερα, το ξύλο το.

ήταν ακόμα μαγικό. Γιατί όταν ο Ντίγκορυ γέρασε (κι έγινε ένας σπουδαίος σοφός καθηγητής, και μεγάλος ταξιδευτής για την εποχή του), κι είχε δικό του το παλιό σπίτι των Κέτερλυ, ξέσπασε μια μεγάλη θύελλα σ' όλη τη νότια Αγγλία, και ξερίζωσε το δέντρο. Κι ο Ντίγκορυ, που δεν του πήγαινε η καρδιά να το κάψει στο τζάκι, έκανε με το ξύλο μια ντουλάπα, και την έβαλε στο σπίτι του στην εξοχή. Ο ίδιος δεν ανακάλυψε ποτέ τις μαγικές ιδιότητες της ντουλάπας. Τις ανακάλυψε όμως κάποιος άλλος. Κι έτσι άρχισαν όλα τα πήγαιν' έλα ανάμεσα στη Νάρνια και τον κόσμο μας, όπως θα δείτε στα επόμενα βιβλία.

Όταν ο Ντίγκορυ μετακόμισε με τους δικούς του στην εξοχή, πήραν μαζί και το Θείο Ανδρέα, γιατί ο πατέρας του Ντίγκορυ είπε: «Πρέπει να τον προσέχουμε τον καημένο το γεράκο, μήπως σκαρώσει πάλι τίποτα. Κι ύστερα, δεν είναι σωστό να τον φορτωθεί η δόλια η Λέτυ». Ο Θείος Ανδρέας δεν ξαναδοκίμασε τα μαγικά του. Είχε πάρει ένα καλό μάθημα, και στα βαθιά γεράματα μαλάκωσε, και δεν ήταν πια τόσο εγωιστής. Πάντα όμως του άρεσε να ξεμοναχιάζει τους επισκέπτες στην αίθουσα του μπιλιάρδου, και να τους λέει ιστορίες για τη μυστηριώδη κυρία, μια ξένη βασίλισσα, που την είχε σεργιανίσει στο Λονδίνο μόνος του. «Σατανική ψυχή!» έλεγε. «Όμως, σπουδαία γυναίκα, κύριέ μου. Σπουδαία γυναίκα, μα την πίστη μου!»